中華國學經典百部
精華本

管子

［春秋］管仲 著
宿磊 译注

中国书店

图书在版编目（CIP）数据

管子 /（春秋）管仲著；宿磊译注 . —北京：中国书店，2023.10

（中华国学经典百部：精华本）

ISBN 978-7-5149-2963-8

Ⅰ . ①管… Ⅱ . ①管… ②宿… Ⅲ . ①法家②《管子》—译文 Ⅳ . ① B226.14

中国版本图书馆 CIP 数据核字（2022）第 075418 号

管子

〔春秋〕管仲 著　宿磊 译注

责任编辑：武悦

出版发行：中国书店

地　　址：北京市西城区琉璃厂东街 115 号

邮　　编：100050

电　　话：（010）63171753（总编室）

（010）63017857（发行部）

印　　刷：三河市嘉科万达彩色印刷有限公司

开　　本：787mm × 1092mm　1/32

版　　次：2023 年 10 月第 1 版第 1 次印刷

字　　数：129 千

印　　张：6（全 300）

书　　号：ISBN 978-7-5149-2963-8

定　　价：1490.00 元（全 50 册）

前言

《管子》是春秋时期齐国政治家管仲的一部重要著作，但多数人认为它是管仲学派的著作，并非管仲本人所著。《管子》在先秦两汉时诸子百家著作中自成一家，汇集了从春秋到秦汉的各家学说，包含道、法、名等思想以及天文、地理、农业等多方面的内容，被认为是中国文化史上的一朵奇葩。今版《管子》多是根据西汉刘向整理编订的，原有八十六篇，现存七十六篇。

管仲（约前723—前645），名夷吾，春秋时期法家代表人物，被称为管子、管夷吾、管敬仲，是中国古代著名的哲学家、政治家、军事家。管仲的祖先是周穆王的后代，后来家道中落，他又年少丧父，贫穷的生活让他不得不过早地承担起生活的重担。为了谋生，管仲到过很多地方，接触过各式各样的人，还从事过当时人们都认为很卑微的职业——他与鲍叔牙合伙经商。后来，经过好友鲍叔牙的推荐，他成为齐国的宰相。

管仲担任齐国宰相期间，重视经济，反对空谈，主张富国强兵。在执政的四十年中，他因地制宜，因势利导，不仅使得齐国国力大增，而且辅助齐桓公成为春秋五霸之一，他因此被齐桓公尊称为“仲父”。

《管子》一书篇幅宏伟，内容复杂，思想丰富。如《牧民》《形势》《正世》《治国》等篇讲的是霸政法术，强调对内富国强兵，对外尊王攘夷，主张建立霸权，赢得对诸侯的领导权。

《侈靡》《治国》《轻重》等篇论经济生产，这也是《管子》的精华之一。其中提出了“凡治国之道，必先富民”的思想，主张铸造货币、控制粮食、控制商品流通、增加财政收入等，就算在今天也有一定的积极作用。

《七法》《制分》等篇论述兵法，认为兵制改革的原则是“作内政而寄军令”，措施是“参其国而伍其鄙”。依据这种思想，管仲在齐国建立了强大的战斗力量。

《枢言》等篇谈哲学及阴阳五行等，主要说明了五行相生的特色，认为阴阳消长变化是天地的根本道理，无论德政还是刑罚都要顺应四时。

《管子》中另有杂说数篇，涉猎广泛，例如在《弟子职》中，管仲对稷下学官的管理做了十分细致的规定，可以与现代学校的学生守则媲美。

《管子》是研究我国古代特别是先秦学术文化思想的重要典籍，只是对今人而言，读来颇为困难。但即便这样，也无损它的价值，其中的思想财富对于我们了解古代思想、借鉴历史都具有重要的意义。

目 录

牧民

【题解】

牧民就是管理统治百姓。作为《管子》的第一篇，它阐述了有关治理国家和巩固政权的纲领性意见。本篇内容涉及政治、经济、军事等多个方面，提出了很多有价值的观点，如“仓廪实则知礼节，衣食足则知荣辱”“授有德”“顺民心”等。本篇包括《国颂》《四维》《四顺》《士经》《六亲五法》五节。

【原文】

国颂

凡有地①牧民②者，务在四时，守在仓廪③。国多财则远者来，地辟举则民留处。仓廪实则知礼节，衣食足则知荣辱。上服度④则六亲固，四维⑤张则君令行。故省刑之要，在禁文巧；守国之度，在饰⑥四维；顺民之经，在明鬼神、祇山川、敬宗庙、恭祖旧。不务天时则财不生，不务地利则仓廪不盈。野芜旷则民乃荒⑦，上无量⑧则民乃妄，文巧不禁则民乃淫，不璋⑨两原则刑乃繁，不明鬼神则陋民不悟，不祇山川则威令不闻，不敬宗庙则民乃上校⑩，不恭祖旧则孝悌不备，四维不张，国乃灭亡。

【注释】

①有地：占有土地。

②牧民：蓄养百姓，这里指治理国家。

③仓廪（lǐn）：米仓，这里指粮食存储。

④服度：服御物，这里指遵循礼仪制度。

⑤四维：礼、义、廉、耻。

⑥饰：通“饬”，整顿、调理。

⑦荒：原作“菅”，懒惰。

⑧无量：征收没有限度。

⑨璋：堵塞。

⑩上校：犯上。

【译文】

国颂

凡是拥有土地、治理人民的人，必须致力于一年四季的农业生产，保证充足的粮食贮备。国家富裕，远方的人就会来归附；大量开垦荒地，百姓就会安心居住。粮食充足，百姓就懂得礼节；丰衣足食，百姓就知道荣辱。君主遵循礼仪制度，亲属之间就能相安无事；发扬礼、义、廉、耻这四项原则，君主的政令就能贯彻执行。所以，减少刑罚的要义，在于禁止奢侈之风；巩固国家的法规，在于整顿四项原则；教育百姓的措施，在于对鬼神、山川、祖宗和宗亲故人都要有敬畏之心。不遵从天时节令，财富无法增长；不致力于地利农事，粮食无法充盈。土地废弃荒芜，百姓就会游荡懒惰；君主征收无度，百姓就会犯上作乱；不禁止奢侈的风气，百姓就会放纵淫荡；不堵塞“妄”和“淫”这两个根源，犯罪的人会越来越多；不敬重鬼神，百姓就不能顿悟；不祭祀山川，威令就不能实行；不敬奉祖宗，百姓就会冒犯君上；不尊重宗亲故人，孝悌就无法完备；不发扬礼义廉耻，国家就会灭亡。

【原文】

四维

国有四维。一维绝则倾，二维绝则危，三维绝则覆，四维绝则灭。倾可正也，危可安也，覆可起也，灭不可复错[①]也。何谓四维？一曰礼，二曰义，三曰廉，四曰耻。礼不逾节[②]，义不自进[③]，廉不蔽恶，耻不从枉[④]。故不逾节则上位安，不自进则民无巧诈，不蔽恶则行自全，不从枉则邪事不生。

【注释】

①错：通“措”，收拾，安置。

②节：等级制度。

③自进：妄自求进。

④枉：歪路。

【译文】

四维

有四条维系国家安危的准则。缺一条，国家就会倾斜；缺两条，国家就很危险；缺三条，国家就会颠覆；缺四条，国家就会灭亡。倾斜的还可以扶正，危险的还可以挽救，颠覆的还可以再起，灭亡的就不可收拾了。那这四条准则是什么呢？一是礼，二是义，三是廉，四是耻。知礼，就是不会逾越等级制度；知义，就是不会妄自求进；知廉，就是不会遮掩错误；知耻，就是不走歪路。因此百姓不逾越等级制度，君主的地位就安稳；不妄自求进，百姓就不会巧取欺骗；不遮掩错误，百姓的行为自然端正；不走歪路，就不会发生邪乱的事情。

【原文】

四顺

政之所兴，在顺民心；政之所废，在逆民心。民恶忧劳，我佚[①]乐之；民恶贫贱，我富贵之；民恶危坠，我存安之；民恶灭绝，我生育之。能佚乐之则民为之忧劳，能富贵之则民为之贫贱，能存安之则民为之危坠，能生育之则民为之灭绝。故刑罚不足以畏其意，杀戮不足以服其心。故刑罚繁而意不恐，则令不行矣；杀戮众而心不服，则上位危矣。故从其四欲[②]则远者自亲，行其四恶[③]则近者叛之。故知予之为取者，政之宝也。

【注释】

①佚：通“逸”，安逸。

②四欲：逸乐、富贵、存安、生育这四种愿望。

③四恶：忧劳、贫贱、危坠、灭绝这四种令人厌恶的事情。

【译文】

四顺

政令之所以能推行，在于顺应民心；政令之所以被废弛，在于违背民心。百姓讨厌忧愁劳累，我就让他安逸快乐；百姓讨厌贫困低贱，我就让他富裕高贵；百姓讨厌危险困难，我就让他安心稳定；百姓害怕断绝子孙，我就让他繁衍生息。能让百姓安逸快乐，他们就会为此承担忧劳；能让百姓富裕高贵，他们就会为此忍受贫困低贱；能让百姓安心稳定，他们就会为此承担危险困难；能让百姓繁衍生息，他们就会不惜为此牺牲生命。所以刑罚不足以让人真正畏惧，杀戮不足以让人心服。刑罚繁重百姓却并不害怕，法令就无法推行了；杀戮众多民心却并不顺服，君主的地位就危险了。因此，满足百姓以上四种愿望，远方的人就会来归顺亲近；强迫推行以上四种百姓厌恶的事情，亲近的人也会背叛离开。由此可见，明白了给予百姓就是获得这个道理，就掌握了治国的法宝。

【原文】

士经

错国于不倾之地，积于不涸之仓，藏于不竭之府，下令[1]于流水之原，使民于不争之官[2]，明必死之路，开必得之门。不为不可成，不求不可得，不处不可久，不行不可复。错国于不倾之地者，授有德也。积于不涸之仓者，务五谷也。藏于不竭之府者，养桑麻、育六畜也。下令于流水之原者，令顺民心也。使民于不争之官者，使各为其所长也。明必死之路者，严刑罚也。开必得之门者，信庆赏也。不为不可成者，量民力也。不求不可得者，不强民以其所恶也。不处不可久者，不偷取一时[3]也。不行不可复者，不欺其民也。故授有德则国安，务五谷则食足，养桑麻、育六畜则民富，令顺民心则威令行，使民各为其所长则用备。严刑罚则民远邪，信庆赏则民轻难，量民力则事无不成，不强民以其所恶则诈伪不生。不偷取一时则民无怨心，不欺其民则下亲其上。

【注释】

①下令：颁布政令。

②官：职务。

③偷取一时：贪图眼前利益。

【译文】

士经

国家应建立在稳固的基础上，粮食应存储在充实的粮仓里，财货应贮藏在用之不尽的府库里，政令应下达在事物根本的位置上，百姓应安置在没有争议的岗位上，使百姓了解犯罪必死的路，向他们打开立功必赏的门。不去干无法成功的事，不去追求不应得到的利益，不立足于难得长久的地位，不去做不可再行的事情。使国家建立在稳固的基础上，就是要授予有道德的人权力；把粮食存储在充实的粮仓里，就是要努力生产更多的粮食；把财富贮藏在用之不尽的府库里，就是要种植桑麻、饲养六畜。把政令下达在事情的根本上，就是让政令能够顺应民心；把百姓安置在没有争议的岗位上，就是要发挥他们各自的长处。使百姓了解犯罪必死的路，就是要有严厉的刑罚。向百姓打开立功必赏的大门，就是要做到奖赏有理有据。不去干无法成功的事，就是要做到衡量百姓的承受力。不去追求不应得到的利益，就是不逼迫百姓去做他们讨厌的事情。不立足于难以持久的地位，就是不贪图一时的利益。不去做不可再行的事情，就是不去欺骗百姓。所以，授予有道德的人权力，国家就能安定；努力生产更多的粮食，粮食就会充足；种植桑麻、饲养六畜，百姓就能富裕。政令的颁布都顺应民心，就可以贯彻执行。百姓都能发挥各自的长处，用品就能齐备。刑罚严厉，百姓就会远离邪恶的事情；奖赏有理有据，百姓就不怕困难。衡量百姓的力量而行事，自然没有办不成的事情。不强迫百姓干他们讨厌的事情，就不会发生欺诈虚伪的行为；不贪图眼前利益，百姓就没有抱怨；不欺骗百姓，百姓自然拥护君主。

【原文】

六亲五法

以家为①乡，乡不可为也。以乡为国，国不可为也。以国为天下，天下不可为也。以家为家，以乡为乡，以国为国，以天下为天下。毋曰不同生②，远者不听。毋曰不同乡，远者不行。毋曰不同国，远者不从。如地如天，何私何亲？如月如日，唯君之节。

御民之辔，在上之所贵。道[3]民之门，在上之所先。召民之路，在上之所好恶。故君求之则臣得之，君嗜之则臣食之，君好之则臣服之，君恶之则臣匿之。毋蔽汝恶，毋异[4]汝度，贤者将不汝助。言室满室，言堂满堂[5]，是谓圣王。

城郭沟渠不足以固守，兵甲强力不足以应敌，博地多财不足以有众。惟有道者，能备患于未形也，故祸不萌。

天下不患无臣，患无君以使之。天下不患无财，患无人以分之。故知时者可立以为长，无私者可置以为政。审于时而察于用，而能备官者，可奉以为君也。缓者后于事，吝于财者失所亲，信小人者失士。

【注释】

①为：治理。

②同生：意为属于同一个家族。生，通“姓”。

③道：通“导”，引导。

④异：改变。

⑤言室满室，言堂满堂：在室内和堂内讲话，都要让所有人听到。这里指办事公开。

【译文】

六亲五法

用治家的方法治理乡，乡就无法治理好；用治乡的方法治理国，国就无法治理好；用治国的方法治理天下，天下就无法治理好。应该用治家的方法治理家，用治乡的方法治理乡，用治国的方法治理国，用治天下的方法治理天下。别因为不同姓，就不听取外姓人的意见；别因为不同乡，就不采纳外乡人的建议；别因为不同国，就不听从别国人的主张。要像天地一样，对待万物没有偏私；像日月一样，普照万物，这才有君王的气度。

带领百姓的方法，在于君主重视什么；引导百姓的门路，在于君主提倡什么；号召百姓的途径，在于君主有什么样的好恶。因此，君主追求的东西，臣子一样想得到；君主爱吃的东西，臣子一样想品尝；君主喜欢的事情，臣子一样想去做；君主讨厌的事情，臣子一样想避开。因此，不要掩饰你的过错，不要改变你的法度，不然贤能的人将无法帮助你。只有办事公开，才算是圣明的君主。

只依靠城郭沟渠等防御设施，不一定能固守城池；只有强大的武器装备，不一定能抵御敌人；地大物博的富裕之人，不一定拥有百姓。只有有道的君主，才能做到防患于未然，灾祸才不会发生。

天下不怕没有贤能之臣，怕的是没有君主任用他们；天下不怕没有财富物质，怕的是无人去分配它们。所以，通晓时势的人，可以任用他做官长；没有私心的人，可以安排他做官吏；审时度势、善于理财，又能知人善用的，就可以成为君主。办事迟钝的人总是落后于形势，吝啬财物的人总是失去亲信，偏信小人的人总是失掉贤能的人才。

形势

【题解】

形势，指事情的外在形态和发展趋势。本篇主要论述事情形态发展和变化的因果，由一些大家常见的自然界现象，论及人类社会存在的普遍规律，最后论述君主该如何对待自己的权力，如何统治百姓、驾驭大臣、治理国家。本篇中有许多生活哲理，就算是今天读来，也让人深思。

【原文】

山高而不崩，则祈羊[①]至矣。渊深而不涸，则沈[②]玉极[③]矣。天不变其常，地不易其则，春秋冬夏不更其节，古今一也。蛟龙得水而神可立也，虎豹托幽而威可载也，风雨无乡[④]而怨怒不及也。贵有以行令，贱有以忘卑。寿夭贫富，无徒归[⑤]也。

【注释】

①祈羊：祭祀用的羊。

②沈：古代将祭品投入水中祭祀河川。沈，通“沉”。

③极：到。

④乡：方向。

⑤无徒归：没有徒然而至的，意为万事都有因。

【译文】

山很高却不崩塌，就有人烹羊祭祀求保佑；渊潭很深却不干枯，就有人投玉祭祀求神。天不会改变常规，地不会改变法则，春秋冬夏不会更换节令，从古到今都是如此。蛟龙到了水中才能显示神威，虎豹深入深山幽谷才能威力无穷，风雨没有方向，人们都不会埋怨它。尊贵的人发号施令，百姓能忘掉自己的贫贱，长寿、短命、贫穷、富有，都不是没有原因的。

【原文】

衔命[①]者，君之尊也；受辞者，名之运也。上无事则民自试，抱蜀[②]不言而庙堂既修。鸿鹄锵锵，唯民歌之。济济多士，殷民化之，纣[③]之失也。飞蓬之问，不在所宾；燕雀之集，道行不顾。牺牷圭璧不足以飨鬼神，主功有素，宝币奚为？羿之道非射也，造父之术非驭也，奚仲之巧非斲削也。召远者，使无为焉；亲近者，言无事焉。唯夜行者独有也。

【注释】

①衔命：奉命。

②抱蜀：怀抱祭祀用的器物。

③纣：商朝最后一个君主。

【译文】

臣子能遵命行事，是因为君主地位尊严；臣子能接受指示，是声名远播的征兆。君主无为而治，百姓就会自己去做事；君主手拿祭器不说话，朝政也会昌明。鸿鹄发出优美的声音，人们齐声称赞。西周人才济济，殷遗民都被感化，这就是纣王失败的原因啊。礼品微薄，不会受到贵宾的礼遇；燕雀云集，不会引起路人的注意。牛羊玉器，不一定能得到鬼神的保佑。只要君主功业有根基，又何必使用那些珍贵的祭品？后羿射箭的诀窍，并不在于他会射箭的这个动作；造父驾车的技术，不在于他会驾车的这个动作；奚仲造车的技巧，也不在于木材的刀削斧砍。招抚远方的人，单靠使者是无用的；亲近国内的人，仅凭说空话也没有作用。只有内心真正修德的君主，才能够得到百姓的爱戴。

【原文】

平隰[1]之封，奚有于高？大山之限[2]，奚有于深？訾讆[3]之人，勿与任大。讹[4]巨者可与远举，顾忧者可与致道。其计也速而忧在近者，往而勿召也。举长者，可远见也。裁大者，众之所比[5]也。欲人之怀，定服而勿厌也。

必得之事不足赖也，必诺之言不足信也。小谨者不大立，訾食[6]者不肥体。有无弃之言者，必参于天地也。坠岸三仞，人之所大难也，而猿猱饮焉。故曰：伐矜好专，举事之祸也。不行其野，不违其马。能予而无取者，天地之配也。

【注释】

①隰（xí）：低温的地方。

②隈（wēi）：小坑。

③訾譥（zǐ wèi）：诽谤好人，赞誉坏人。

④讹：古读字，谋虑。

⑤比：依赖。

⑥訾（cí）食：挑食。

【译文】

沼泽上的小土丘，如何算得上高？大山上的小沟壑，如何算得上深？诽谤好人赞誉坏人的人，不能授予重要的任务。深谋远虑的人，可以和他一起共图天下大事；有忧患意识的人，可以和他共商国是。那种做事只求速度、目光浅短的人，离开了就不必召他回来。推举贤人，百姓才能得到利益；君主资质深广，才会得到百姓的依赖。想要百姓归顺，就一定要行德而不可懈怠。

自认为一定能成功的事情，往往靠不住；山盟海誓的承诺，是信不过的。太过谨慎也难成大事；挑食身体不会健康。能够不丢弃以上格言的，就能融合了天地的精神。一个人很难做到从三仞高的崖岸上跳下来，但猴子却能很轻松地跳下来喝水。所以说，傲慢自大，独断专行，是做事的祸端。即使不到野外，也不要抛弃马。能够做到只付出而不向百姓索取的，就如天地般伟大了。

【原文】

怠倦者不及，无广[①]者疑[②]神。疑神者在内，不及者在门。在内者将假[③]，在门者将待[④]。曙戒[⑤]勿怠，后稚[⑥]逢殃。朝忘其事，夕失其功。邪气袭内，正色乃衰。君不君则臣不臣，父不父则子不子。上失其位则下逾其节，上下不和，令乃不行。衣冠不正则宾者不肃，进退无仪则政令不行。且怀且威，则君道备矣。莫乐之则莫哀之，莫生之则莫死之。往者[⑦]不至，来者[⑧]不极。

【注释】

①广：旷。

②疑：像。

③假：暇，空闲。

④待：怠，疲惫。

⑤曙戒：早晨。

⑥后稚：傍晚。

⑦往者：君主的恩德。

⑧来者：百姓的报答。

【译文】

懒惰的人必将落在后面，勤奋的人办事如有神助。办事如神的人已入室内，落后的人却还在门外。在室内的人可以从容不迫，在门外的人却疲惫不堪。黎明时懒散懈怠，傍晚时分就要遭殃。早上忘掉了该做的事情，晚上肯定没有成果。邪气侵袭到身体内，正色便要衰退。君主不像君主，臣子就不像臣子；父亲不像父亲，儿子就不像儿子。君主办事不符合他的身份，臣子就会逾越规范。上下不和，政令就行不通。君主衣冠不正，礼宾的官吏就难以肃敬。君主的行为举止不合法度，政策法令就很难推行。既关怀臣民又威严不可冒犯，才算得上是完美的为君之道。君主不能让百姓安乐，百姓自然也就无法为君主分忧；君主不能让百姓生长繁衍，百姓自然也就无法为君主献出生命。君主不兑现许诺给百姓的，百姓也不会全心全意效力君主。

权修

【题解】

权修是指如何加强和巩固君主的政权，本篇的中心就是论述这个主题的。为此，文中提出了许多积极的思想，如要加强政权、富国强兵，君主就要慎重使用民力，要重视农业、教化百姓等。有一些还具有超前的意识，如“按劳分配”思想等。文中认为“取于民有度，用之有止”“一年之计，莫如树谷。十年之计，莫如树木。终身之计，莫如树人”等，都包含积极的内容。

【原文】

万乘之国，兵不可以无主。土地博大，野[①]不可以无吏。百姓殷众，官不可以无长。操民之命，朝不可以无政。

地博而国贫者，野不辟[②]也。民众而兵弱者，民无取[③]也。故末产[④]不禁则野不辟，赏罚不信则民无取。野不辟，民无取，外不可以应敌，内不可以固守。故曰：有万乘之号而无千乘之用，而求权之无轻[⑤]，不可得也。

地辟而国贫者，舟舆饰、台榭广也。赏罚信而兵弱者，轻用众、使民劳也。舟车饰、台榭广则赋敛厚矣，轻用众、使民劳则民力竭矣，赋敛厚则下怨上矣，民力竭则令不行矣。下怨上，令不行，而求敌之勿谋己，不可得也。

欲为天下者，必重[6]用其国。欲为其国者，必重用其民。欲为其民者，必重尽其民力。无以畜之，则往而不可止也。无以牧之，则处而不可使也。远人至而不去，则有以畜之也。民众而可一，则有以牧之也。

见其可也，喜之有征[7]；见其不可也，恶之有形。赏罚信于其所见，虽其所不见，其敢为之乎？见其可也，喜之无征。见其不可也，恶之无形。赏罚不信于其所见，而求其所不见之为之化，不可得也。

厚爱利，足以亲之。明智礼，足以教之。上身服以先之，审度量以闲[8]之，乡置师以说道之，然后申之以宪令，劝之以庆赏，振[9]之以刑罚。故百姓皆说为善，则暴乱之行无由至矣。

【注释】

①野：郊野。

②辟：开垦。

③取：通“趣”，督促。

④末产：经营奢侈品的工商业。

⑤轻：削弱。

⑥重：重视，爱惜。

⑦征：经验，表现。

⑧闲：防范，控制。

⑨振：震慑。

【译文】

拥有万辆兵车的大国，军队不能没有统帅。领土辽阔，境内不能没有官吏。百姓众多，官府不能没有长官。掌控着百姓的命运，朝廷不能没有政令。

土地广阔而国家贫困，是因为没有开垦土地。人多而兵力薄弱，是因为没有督促百姓。因此，不禁止工商业，土地就得不到开垦；赏罚没有力度，百姓就没有进取的目标。土地没有开垦，百姓没有进取心，对外就无法抵御敌人，对内就无法固守国土。所以说，就算空有万辆兵车的虚名，实力却还不如千辆兵车，是不可能保存君主权力不被削弱的。

开垦土地了，但国家还是贫困，那是由于君主的舟车豪华过度，楼台亭阁过多造成的。赏罚有理有据但兵力还是很薄弱，那是因为轻易兴师动众，使百姓过于劳累造成的。因为豪华的舟车、过多的楼台亭阁，就会加重赋税。轻易兴师动众，使百姓过于劳累，就会造成劳苦疲惫。赋税重百姓就会怨恨朝廷，民力枯竭就会让政令难以实施。百姓怨恨朝廷，政令不能推行，还希望敌国不来侵略，那是不可能的。

要想治理好天下，一定要珍惜使用本国国力；想要治理好国家，一定要爱惜国内百姓；想要管理好百姓，一定要避免耗尽民力。如果无法养活百姓，人们自然要逃离而无法阻止；如果没有办法管理百姓，即使他们留下来也无法使用。远处的百姓来了就不离开，是因为有能力养活他们；人口虽然很多却能统一号令，是因为有能力管理他们。

君主见到人们做好事，要用实际行动证明对他的喜爱；见到人们做坏事，要表示厌恶之情并给他们具体的惩罚。对于看到的能做到赏罚分明，即使有看不到的地方，难道谁还敢做坏事吗？如果见到做好事的人，只表示喜悦之情而没有奖赏；见到做坏事的人，只表示厌恶之情而没有惩罚；君主做不到赏罚分明，要想没有见到的人们都听从教化是不可能的。

君主能够多多向百姓施恩，自然可以亲近百姓。能够明确是非界限和礼节，就可以教育百姓。要以身作则做示范，审定规章制度加以防范，设置乡的官吏来管理指导，接着用法令加以约束，用奖赏加以鼓励，用刑罚加以震慑。这样，百姓都愿意做好事，暴乱的行为也就没理由发生了。

【原文】

地之生财有时，民之用力有倦，而人君之欲无穷。以有时与有倦，养无穷之君，而度量不生于其间，则上下相疾①也。是以臣有杀其君，子有杀其父者矣。故取于民有度，用之有止，国虽小必安。取于民无度，用之不止，国虽大必危。

地之不辟者，非吾地也；民之不牧者，非吾民也。凡牧民者，以其所积②者食之，不可不审也。其积多者其食多，其积寡者其食寡，无积者不食。或有积而不食者，则民离上；有积多而食寡者，则民不力；有积寡而食多者，则民多诈；有无积而徒食者，则民偷幸。故离上、不力、多诈、偷幸，举事不成，应敌不用。故曰，察能授官，班禄赐予，使民之机③也。

野与市④争民，家与府⑤争货，金与粟⑥争贵，乡与朝⑦争治。故野不积草，农事先也。府不积货，藏于民也。市不成肆，家用足也。朝不合众，乡分治也。故野不积草，府不积货，市不成肆，朝不合众，治之至也。

人情不二，故民情可得而御也。审其所好恶，则其长短可知也。观其交游，则其贤不肖可察也。二者不失，则民能可得而官也。

【注释】

①疾：怨恨。

②积：通“绩”，功绩。

③机：关键。

④野与市：农田和市场。

⑤家与府：百姓和政府。

⑥金与粟：金钱与粮食。

⑦乡与朝：地方和朝廷。

【译文】

土地生产财富会受到时令限制，百姓耗费劳动力有劳累的时候，可是君主的欲望却没有止境。以受时令限制的土地和劳累的百姓去供养欲望无止境的君主，二者之间如果没有一个合理的限度，上下就会产生怨恨。于是就产生了臣弑君、子弑父的事情。因此，对百姓征收有度，耗费有节制，这样的国家就算很小也会安宁；对百姓征收无度，耗费无节制，这样的国家就算很大也会危亡。

没有开垦出来的土地，不属于自己；没有治理好的百姓，不属于自己的百姓。治理百姓，要按照劳动和功绩给予奖赏，这个问题一定要审慎对待。劳动和功绩多的人获得的奖赏多，劳动和功绩少的人获得的奖赏就少，没有劳动和功绩的就不给奖赏。如果有劳动和功绩却没有奖赏，人们就会远离德行；劳动和功绩多却奖赏少，人们就会消极怠工；劳动和功绩少却奖赏多，人们就会弄虚作假；没有劳动和功绩却得到奖赏，人们就会贪图侥幸。凡是有远离德行、消极怠工、弄虚作假、贪图侥幸的情况，君主就很难成功做事，他们也不会尽力对敌作战。所以说，根据人的能力来授予官职，按照劳动和功绩的多少来赐予奖赏，这是治理百姓的关键。

农田与市场争夺劳动力，私家与官府争夺财货，金钱与粮食争夺贵贱，地方与朝廷争夺治理权限。因此，土地不长杂草，是因为把农业放在第一位；官府不去积累财货，是因为让财富藏在民间；市场里的店铺成不了行，是因为百姓家用自足；朝廷没有人集合起来议事，是因为各地分治。土地不长杂草，官府没有积货，店铺不成行列，朝廷无人议事，这些就是治理国家的最高水平。

人的本性都是一样的，所以，人的性情是可以掌握驾驭的。了解百姓喜欢什么和讨厌什么，就可以了解他们的长处和短处；观察他们同哪些人交往，就能了解他们是贤能还是庸人。把握住以上两点，就能够很好地管理百姓了。

【原文】

地之守在城，城之守在兵，兵之守在人，人之守在粟，故地不辟则城不固。有身不治，奚待[①]于人？有人不治，奚待于家？有家不治，奚待于乡？有乡不治，奚待于国？有国不治，奚待于天下？天下者，国之本也。国者，乡之本也。乡者，家之本也。家者，人之本也。人者，身之本也。身者，治之本也。故上不好本事[②]则末产[③]不禁，末产不禁则民缓于时事而轻地利，轻地利而求田野之辟、仓廪之实，不可得也。

商贾在朝则货财上流，妇人言事则赏罚不信，男女无别则民无廉耻。货财上流，赏罚不信，民无廉耻，而求百姓之安难[④]兵士之死节，不可得也。朝廷不肃，贵贱不明，长幼不分，度量不审，衣服无等，上下凌节，而求百姓之尊主政令，不可得也。上好诈谋间欺，臣下赋敛竞得，使民偷壹，则百姓疾怨，而求下之亲上，不可得也。有地不务本事，君国不能一民，而求宗庙社稷之无危，不可得也。

上恃龟筮，好用巫医，则鬼神骤祟。故功之不立，名之不章，为之患者三：有独王[⑤]者，有贫贱者，有日不足[⑥]者。

【注释】

①待：期待，要求。

②本事：农业。

③末产：工商业。

④安难：不怕危难。

⑤独王：独断而专行。

⑥日不足：事务繁多，疲于奔命。

【译文】

国土的保障要靠城池，城池的保障要靠武器，武器的保障要靠百姓，而百姓的保障要靠粮食。因此，不开垦土地，城池就不会巩固。君主无法管理自身，又怎么管理别人？不能管理人，怎能管理家？不能管理家，怎能管理乡？不能管理乡，怎能管理国？不能管理国，怎能管理天下？国家是天下的根本，乡是国家的根本，家是乡的根本，人是家的根本，自身是人的根本，以身作则是治世之道的根本。所以，君主如果不重视农业，就无法禁止工商业，而不禁止工商业，百姓就会耽误农时农事而轻视土地的收益。在轻视土地收益的情况下，君主还指望开垦土地、充实仓廪，是办不到的。

朝中由商人掌权，贿赂财货就会被带到上层；让妇人参与政事，赏功罚过就不能有理有据；男女没有区别，百姓就会不知廉耻。在贿赂上行、赏罚不明、人无廉耻的情况下，要求百姓为国家甘冒危难，士兵自愿为国家献身，是办不到的。朝廷不能肃清，贵贱没有区别，长幼没有次序，制度不能明确，服制没有等级，君臣逾越应守的法度，君主却要求百姓尊重政令，这是做不到的。君主喜好阴谋诈骗，官吏竞相征收捐税，奴役百姓使他们偷取一时之快，百姓就会怨恨不已，这样君主还妄想百姓亲近爱戴他，是不可能的。拥有土地却不注重农业，统治国家却不能统一民心，这样君主还妄想国家不出现危机，是不可能的。

君主做事靠占卜，好用巫医治疗疾病，鬼神自然会经常作怪。所以，功业建不成，名声立不起来，将造成三种祸患：一是君主独断专横；二是君主贫穷卑贱；三是君主政务混乱、疲于奔命。

【原文】

一年之计，莫如树谷；十年之计，莫如树木；终身之计，莫如树人。一树一获者，谷也。一树十获者，木也。一树百获者，人也。我苟种之，如神用之，举事如神，唯王之门。

凡牧民者，使士①无邪行，女无淫事。士无邪行，教也；女无淫事，训也。教训成俗而刑罚省，数②也。凡牧民者，欲民之正也。欲民之正，则微邪不可不禁也。微邪者，大邪之所生也。微邪不禁，而求大邪之无伤国，不可得也。凡牧民者，欲民之有礼也。欲民之有礼，则小礼不可不谨也。小礼不谨于国，而求百姓之行大礼，不可得也。凡牧民者，欲民之有义也。欲民之有义，则小义不可不行。小义不行于国，而求百姓之行大义，不可得也。凡牧民者，欲民之有廉也。欲民之有廉，则小廉不可不修也。小廉不修于国，而求百姓之行大廉，不可得也。凡牧民者，欲民之有耻也。欲民之有耻，则小耻不可不饰也。小耻不饰于国，而求百姓之行大耻，不可得也。凡牧民者，欲民之谨小礼、行小义、修小廉、饰小耻、禁微邪，此厉③民之道也。民之谨小礼、行小义、修小廉、饰小耻、禁微邪，治之本也。

【注释】

①士：男人。

②数：自然之理。

③厉：同“砺”，砥砺，这里指教育。

【译文】

做一年的计划，最好是种植五谷；做十年的计划，最好是种植树木；做终身的计划，最好是培育人才。种植一次收获一次是种谷；种植一次收获十次是种树；培育一次而有百次收获是培育人才。如果能注重培养人才，使用起来将得心应手，做事将有如神助，这是成为王者的门路。

治理百姓，就应该使男人没有邪僻的行为，女人不做淫乱的事情。让男人远离邪僻，要靠教育；让女人没有淫乱行为，要靠训导。教育和训导形成了风气，刑罚就会减少，这是自然的道理。治理百姓，就应该要求百姓走正道。要求百姓走正道，就必须禁止小的邪恶。因为，小恶是大恶的根源。不禁止小恶却妄想大恶不危害国家，是不可能的。治理百姓，就应该要求百姓有礼仪。要求百姓有礼，就必须重视小的礼节。不重视小礼，却妄想百姓能行大礼，是不可能的。治理百姓，就应该要求百姓有义。要求百姓有义，就必须实行小义。不行小义，却妄想百姓能行大义，是不可能的。治理百姓，就应该要求百姓清廉。要求百姓清廉，就必须重视小廉。不重视小廉，却妄想百姓能修大廉，是不可能的。治理百姓，就应该要求百姓有羞耻之心。要求百姓有羞耻之心，就必须整顿小耻。不整顿小耻，却妄想百姓能整顿大耻，是不可能的。治理百姓，就应该让百姓重视小礼、施行小义、修炼小廉、整顿小耻、禁止小邪，这都是教育百姓的办法。而百姓能够做到重视小礼、施行小义、修炼小廉、整顿小耻、禁止小邪，这正是治国的根本。

【原文】

凡牧民者，欲民之可御也。欲民之可御，则法不可不审[①]。法者，将立朝廷者也，将立朝廷者，则爵服不可不贵也。爵服加于不义，则民贱其爵服。民贱其爵服，则人主不尊。人主不尊，则令不行矣。法者，将用民力者也。将用民力者，则禄赏不可不重也。禄赏加于无功，则民轻其禄赏。民轻其禄赏，则上无以劝[2]民。上无以劝民，则令不行矣。法者，将用民能者也。将用民能者，则授官不可不审也。授官不审，则民间[3]其治。民间其治，则理[4]不上通。理不上通，则下怨其上。下怨其上，则令不行矣。法者，将用[5]民之死命[6]者也。用民之死命者，则刑罚不可不审也。刑罚不审，则有辟就。有辟就，则杀不辜而赦有罪。杀不辜而赦有罪，则国不免于贼臣矣。故夫爵服贱、禄赏轻、民间其治、贼臣首难[7]，此谓败国之教也。

【注释】

①审：重视。

②劝：鼓励。

③间：反对，背离。

④理：民情，下情。

⑤用：决定。

⑥死命：生死。

⑦首难：带头作乱。

【译文】

凡是治理百姓，都希望百姓能服从统治。要百姓服从统治，就必须重视法制。法律，是用来确立朝廷权威的。要确立朝廷权威，就必须重视爵位官服。如果把爵位官服授给不义的人，百姓就看不起爵位官服；百姓看不起爵位官服，君主就没有威信；没有威信的君主，他颁布政令就无法推行。法律，是用来役使百姓出力的。役使百姓出力，就必须重视奖赏。如果把奖赏给了无功的人，百姓就看不起奖赏；百姓看不起奖赏，君主就无法勉励百姓；君主无法勉励百姓，政令就无法推行。法律，是用来发挥百姓才能的。发挥百姓才能，就必须谨慎委派官职。如果委派官职不谨慎，百姓就会反抗政治；百姓反抗政治，那民情就不能往上传达；民情不能上达，百姓就会怨恨君主；百姓怨恨君主，政令就无法推行。法律，是用来决定百姓生死的。决定百姓生死，就必须审慎使用刑罚。如果刑罚使用不审慎，就会让坏人逃避惩罚而好人蒙受冤屈；坏人逃避惩罚而好人受冤屈，就会出现杀害无辜的人而赦免有罪的事情；杀害无辜而赦免有罪，国家就会乱臣贼子当道。所以，百姓鄙视爵位官服，轻视奖赏，背离统治，奸臣带头叛乱，这些都是亡国的教训啊。

立政

【题解】

立政，指君主执政。本篇讨论了君主执政必须注意的九个问题，并对每个问题都进行了详细的论说，提出了一整套完备的治国措施。本篇认为“三本”“四固”这样的用人原则可以防止国家动乱；“五事”则决定了国家的贫富。文中认为，治国需要制定明确的制度，防止“九败”思想的出现。在经济方面，文中提出了强调发展农业，充分利用自然资源等措施，来加强国家管理。

【原文】

国之所以治乱者三，杀戮刑罚不足用也。国之所以安危者四，城郭险阻不足守也。国之所以富贫者五，轻税租、薄赋敛、不足恃也。治国有三本，而安国有四固，而富国有五事。五事，五经也。

三本

君之所审者三：一曰德不当其位，二曰功不当其禄，三曰能不当其官。此三本者，治乱之原也。故国有德义未明于朝者，则不可加于尊位；功力未见于国者，则不可授与重禄；临事①不信于民者，则不可使任大官。故德厚而位卑者谓之过，德薄而位尊者谓之失。宁过于君子，而毋失于小人。过于君子，其为怨浅；失于小人，其为祸深。是故国有德义未明于朝而处尊位者，则良臣不进；有功力未见于国而有重禄者，则劳臣不劝；有临事不信于民而任大官者，则材臣不用。三本者审，则下不敢求。三本者不审，则邪臣上通，而便辟②制威。如此，则明塞于上而治壅于下，正道捐弃而邪事日长。三本者审，则便辟无威于国，道涂无行禽，疏远无蔽狱③，孤寡无隐治。故曰：刑省治寡，朝不合众。

【注释】

①临事：治理国事。

②便辟：受宠幸的小臣。

③蔽狱：不明不白的官司，冤狱。

【译文】

决定国家治乱的条件有三个，只有杀戮刑罚是不够用的。决定国家安危的条件有四个，只靠城郭险阻是不足以防守的。决定国家贫富的条件有五个，只靠轻收租税、薄取赋敛是不够用的。这就是说，治理国家有三本，安定国家有四固，富国强国有五事。这五事，就是五条基本措施。

三本

君主要细查的问题有三个：一是品德必须与地位相称，二是功劳必须与俸禄相称，三是能力必须与官职相称。这三个基本问题就是国家治乱的根源。因此，德义没有显现于朝廷的人，不能授予他尊高的爵位；功业没有表现于国内的人，不能给予他优厚的俸禄；做事没有取信于百姓的人，就不能让他做高官。德行深厚却授予他低微的爵位，叫作用人失当；德行浅薄却授予他尊高的爵位，叫作用人错误。宁可安排君子失当，也不可以错误任用小人。因为有过于君子，带来的怨恨微不足道；有失于小人，带来的祸乱深不可测。所以，在一个国家中，如果有德义不显于朝廷而身居高位的人，就无法推荐贤良的大臣；如果有功劳不显于全国而享有重禄的人，就无法鼓励勤奋的大臣；如果有做事并未取信于百姓而做了大官的人，就无法重用有才能的大臣。只要把这三个根本问题审查清楚，小人就不敢谋取高官厚禄。如果不严加审查这三个根本问题，君主就会接近奸臣，佞臣就会专权施威。如果这样，在上君主会遭受蒙蔽，在下政令难以推行，治国的正道被抛弃，坏事就会与日俱增。如果审查好这三个根本问题，那些受君主宠爱的小臣就无法专权，道路上看不到囚犯，老百姓就不会蒙受不白之冤，孤寡无亲的人也不会无处申冤了。所以说：刑罚减少，政务精简，朝廷无须召集群臣议事。

【原文】

四固

君之所慎者四：一曰大德不至仁，不可以授国柄①。二曰见贤不能让，不可与尊位。三曰罚避亲贵，不可使主兵②。四曰不好本事，不务地利而轻赋敛，不可与都邑。此四务③者，安危之本也。故曰：卿相不得众，国之危也。大臣不和同，国之危也。兵主不足畏，国之危也。民不怀其产，国之危也。故大德至仁，则操国得众。见贤能让，则大臣和同[4]。罚不避亲贵，则威行于邻敌。好本事，务地利，重赋敛，则民怀其产。

【注释】

①国柄：国家大权。

②主兵：掌握兵权。

③四务：四固。

④和同：和谐一致。

【译文】

四固

君主要慎重对待的问题有四个：一是虽提倡道德却不能真正做到仁爱的人，不能授予他国家大权；二是遇到贤能却不让位的人，不能授予他高贵爵位；三是掌握刑罚却回避亲贵的人，不能让他统领军队；四是不重视农业和地利却随意收取赋税的人，不能让他做地方官。这四条原则是国家安危的根本。所以说，卿相不得人心，国家危险；大臣不同心协力，国家危险；军中统帅无法令人生畏，国家危险；百姓不关心田产，国家危险。因此，提倡道德而真正做到仁爱，这样才能胜任国事且得到众人的拥护；见到贤能就懂得辞让，这样才能让大臣们同心协力；掌握刑罚却不回避亲贵，这样才能威震邻敌；重视农业和地利而不随意征税，这样才能使百姓关心田产。

【原文】

五事

君之所务者五：一曰山泽不救于火[1]，草木不殖成[2]，国之贫也。二曰沟渎[3]不遂于隘[4]，障水[5]不安其藏，国之贫也。三曰桑麻不殖于野，五谷不宜其地，国之贫也。四曰六畜不育于家，瓜瓠荤菜百果不备具，国之贫也。五曰工事[⑥]竞于刻镂，女事繁于文章[⑦]，国之贫也。故曰：山泽救于火，草木殖成，国之富也；沟渎遂于隘，障水安其藏，国之富也；桑麻殖于野，五谷宜其地，国之富也；六畜育于家，瓜瓠荤菜百果备具，国之富也；工事无刻镂，女事无文章，国之富也。

【注释】

①救于火：防火灾。

②殖成：繁殖成长。

③沟渎：沟渠。

④隘：通。

⑤障水：堤坝围起来的水。

⑥工事：工匠的制作。

⑦文章：纹饰。

【译文】

五事

君主要解决的问题有五个：一是山林沼泽无法防止火灾，草木树林无法繁殖，国家必然贫穷；二是沟渠不通畅，堤坝不稳固，国家必然贫穷；三是田野不种植桑麻，五谷没有因地制宜，国家必然贫穷；四是农家不饲养六畜，瓜果蔬菜短缺，国家必然贫穷；五是工匠追逐雕琢，女红追求纹饰，国家必然贫穷。所以说，山林沼泽能够防止火灾，草木繁殖，国家自然富足；沟渠通畅，堤坝稳固，国家自然富足；田野种植桑麻，五谷因地制宜，国家自然富足；农家饲养六畜，瓜果蔬菜应有尽有，国家自然富足；工匠不追逐雕琢，女红不追求纹饰，国家自然富足。

【原文】

首事

凡将举事，令必先出。曰事将为，其赏罚之数①，必先明之。立事者谨守令以行赏罚，计事致令，复赏罚之所加。有不合于令之所谓者，虽有功利，则谓之专制，罪死不赦。首事②既布，然后可以举事。

【注释】

①数：政策。

②首事：最初发布的法令。

【译文】

首事

凡是要成就事业，一定要先制定相关的法令。就是说，做事之前必须要先了解各种赏罚的规定。办事的人要严格按照规定来实施赏罚，总结情况并回复命令，汇报赏罚的情况。如果有办事不符合规定的，就算有功劳，也叫作专制，不能赦免死罪。办事法令颁布以后，然后遵照执行就可以了。

【原文】

省官

修火宪①，敬②山泽林薮积草，夫财之所出，以时禁发焉，使民足于宫室之用、薪蒸③之所积，虞师之事也。决水潦④，通沟渎，修障防，安水藏，使时水虽过度，无害于五谷，岁虽凶旱，有所秎⑤获，司空之事也。相高下，视肥硗⑥，观地宜，明诏期前后，农夫以时钧修⑦焉，使五谷桑麻皆安其处，由田之事也。行乡里，视宫室，观树艺，简⑧六畜，以时钧修焉，劝勉百姓，使力作毋偷，怀乐家室，重去乡里，乡师之事也。论百工，审时事，辨功苦，上完利，监壹⑨五乡，以时钧修焉，使刻镂文采毋敢造于乡，工师之事也。

【注释】

①火宪：防火的法令。

②敬：谨防。

③薪蒸：容易起火的木材。

④决水潦：疏导积水。

⑤粉（fèn）：收割。

⑥肥硗（qiāo）：肥沃的土地和贫瘠的土地。

⑦钧修：全面安排。

⑧简：检查。

⑨监壹：统一监督管理。

【译文】

省官

制定防火灾的法令，防止山林沼泽堆积枯草起火，按时开放和封闭自然资源出产的地方，让百姓有充足的房屋建筑用材和柴草贮备，这是虞师的职责。疏导积水，排通沟渠，整修堤坝，加固蓄水池，做到即使雨水过多也不会对农业造成危害，即使当年天气干旱，也能有所收获，这是司空的职责。观测地势的高下，分析土壤的肥贫，查明土地适合种植哪种作物，明确农民服役的时间，对农民生产和服役，按照时令做合理安排，确保五谷桑麻的种植各得其适，这是司田的职责。巡视乡里，视察房屋，观看作物的生长，检查六畜的饲养，且按照时令做出全面的安排，劝导百姓，让他们努力耕作而不偷懒懈怠，留恋家室而不轻易离乡，这是乡师的职责。考核工匠，审定各个时节的工作，分辨产品质量，提倡种类齐全质量上乘，统一管理五乡，按照时节做全面安排，使刻木、镂金、纹采等奢侈品工艺不敢在各乡流行，这是工师的职责。

【原文】

七观[①]

期而致[②]，使而往，百姓舍己以上为心者，教之所期也。始于不足见，终于不可及，一人服之，万人从之，训之所期也。未之令而为，未之使而往，上不加勉而民自尽竭，俗之所期也。好恶形于心，百姓化于下，罚未行而民畏恐，赏未加而民劝勉，诚信之所期也。为而无害，成而不议，得而莫之能争，天道之所期也。为之而成，求之而得，上之所欲，小大必举，事之所期也。令则行，禁则止，宪之所及，俗之所被，如百体之从心，政之所期也。

【注释】

①七观：七期。

②致：应诏。

【译文】

七观

有征召立即来到，有派遣即刻前往，百姓舍己为君，这是教化所期望的结果。刚开始看不出迹象，结果却出乎意料，君主一人倡导，百姓万人响应，这是训导所期望的结果。未下命令就主动办事，没有派遣就主动前往，不需要上面的劝勉，百姓就能尽心竭力，这是形成风俗所期望的结果。君主心里刚出现好恶，百姓就化为实际的行动，刑罚还没有实行百姓就知道恐惧，奖赏还未下发百姓就得到劝勉，这是建立诚信所期望的结果。做事没有恶果，成事之后也没有异议，无人争夺得到的成果，这是遵守治国之道所期望的结果。行事就能成功，有求就能得到，君主所期望的事情，不管大小都能实现，这是办事所期望的结果。有令则行，有禁则止，只要是国家法令所涉及的和风俗所影响到的，百姓都照章执行，就像身体的各个器官服从内心一样，这是为政所期望的结果。

乘马

【题解】

乘是计算的意思，马是筹码的意思，乘马就是对国家经济方法的重大事件计算谋划。文中对“立国”“大数”“地政”“阴阳”“爵位”“务市事”“黄金”“士农工商”“圣人”“失时”“地里”等内容进行了详细的叙述，介绍了治理国家在经济方面应该注意的原则和措施。

【原文】

立国

凡立国都，非于大山之下，必于广川之上。高毋近旱而水用足。下毋近水而沟防①省。因天材，就地利，故城郭不必中规矩，道路不必中准绳②。

【注释】

①沟防：沟渠和堤防。

②准绳：平直。

【译文】

立国

凡是建造都城，不是建立在大山之下，就是在大河的附近。高不可靠近干旱的地方，这样能保证充足的用水；低不可靠近水涝的地方，这样可以不用修筑沟堤。依靠天然的资源，凭借有利的地势，所以，城郭的建造，不一定合乎方圆；

道路的铺设，也不一定平直。

【原文】

大数

无为[1]者帝，为而无以为者王，为而不贵者霸。不自以为所贵，则君道也。贵而不过度，则臣道也。

【注释】

①无为：无为而治。

【译文】

大数

能做到无为而治的，可以成就帝业。能做到为政而不为其所累，成为不用操劳的君主，可以成就王业。为政却谦虚不自贵的，可以成就霸业。不自以为贵是君主的准则，不超越应守的规范，是臣子的准则。

【原文】

地政

地者政之本也，朝者义[1]之理也，市者货之准也，黄金者用之量也，诸侯之地千乘之国者器[2]之制也。五者其理可知也，为之有道。

【注释】

①义：仪法。

②器：军备。

【译文】

地政

土地是政事的根本，朝廷是仪法的体现，市场是商品供求的标志，黄金是计量财用的工具，一个诸侯国拥有千辆兵车，是军备的制度。这五个方面，道理可以理解，也可以说有一定规律。

【原文】

阴阳

地者政之本也，是故地可以正①政也。地不平均和调，则政不可正②也。政不正，则事不可理也。

春秋冬夏，阴阳之推移也。时之短长，阴阳之利用也。日夜之易，阴阳之化也。然则阴阳正矣，虽不正，有余不可损③，不足不可益④也，天也，莫之能损益也。然则可以正政者，地也，故不可不正也。正地者，其实⑤必正。长亦正，短亦正，小亦正，大亦正，长短大小尽正。地不正则官不理，官不理则事不治，事不治则货不多。是故何以知货之多也？曰事治。何以知事之治也？曰货多。货多事治，则所求于天下者寡矣，为之有道。

【注释】

①正：整顿。

②正：公正。

③损：减少。

④益：增加。

⑤实：土地的实际面积。

【译文】

阴阳

土地是政事的根本，所以土地可匡正政事。土地分配不公平，政事自然就不能公正。没有公正的政事，就无法管理农业生产。

春秋冬夏是阴阳的推移，昼夜长短变化是对阴阳的利用，白天黑夜的交替是阴阳的变化。阴阳运动是公平的，虽然偶尔有偏失，但多出来的不能减少，不足的无法增加。天时，并不是人力能够改变的。可以用来匡正政事的，是土地。因此对土地必须加以整顿。整顿土地，就一定要核正其实际面积。长的要核正，短的要核正，大块的要核正，小块的也要核正，长短大小都要核正。不核正土地面积，官府就无法管理；官府无法管理，农事生产就办不好；办不好农事就不会有丰富的物资。如何知道物资是否丰富呢？回答是：看农事生产是否得到治理。怎样看出农事生产治理得好呢？回答是：看物资是否丰富。只要物资丰富，农事治理好，求助他人就少了。这样就掌握了治国规律。

【原文】

爵位

朝者义之理①也。是故爵位正而民不怨，民不怨则不乱，然后义可理。不正则不可以治，而不可不理也。故一国之人不可以皆贵，皆贵则事②不成而国不利也。使无贵者则民不能自理也。是故辨于爵列之尊卑，则知先后之序、贵贱之义矣。为之有道。

【注释】

①理：体现。

②事：农事生产。

【译文】

爵位

朝廷是仪法等级的体现。所以朝廷爵位安排合理正确，百姓才不会怨恨，百姓没有怨恨，就不会犯上作乱，然后仪法等级才能体现。如果爵位安排不公平，就无法管理百姓，仪法等级也就不可能体现。所以一国的人不可能都尊贵，都尊贵了农业生产就没有人做了，这对国家不利。但如果没有少数尊贵人，百姓就不能管理好自己。所以，分清爵位的高低，百姓才能知道先后次序和贵贱仪法。这样才是掌握了治国的规律。

【原文】

务市事

市者货之准也。是故百货贱则百利不得，百利不得则百事治，百事治则百用节①矣。是故事者生于虑，成于务②，失于傲。不虑则不生，不务则不成，不傲则不失。故曰：市者可以知治乱，可以知多寡，而不能为③多寡。为之有道。

【注释】

①节：调度。

②务：努力。

③为：创造。

【译文】

务市事

市场是商品供求状况的标准。所以市场上的货物价格低廉，商人就无法获得高额利润；商人无法获得高额利润，各项事业就能得到很好的治理；各项事业治理好了，需求用度就都能得到适当的调节。因此，任何事情都产生于谋虑，努力才能成功，骄傲就会失败。不谋虑则事业没有起点，不努力就无法成功，不骄傲则不会导致失败。所以说，通过市场可以了解社会治乱的情况，可以了解财富的多少，只是不能通过市场创造财富本身。明白这些也就是明白了治国规律。

【原文】

黄金

黄金者，用之量也。辨于黄金之理[①]则知侈俭，知侈俭则百用节矣。故俭则伤事[②]，侈则伤货[③]。俭则金贱，金贱则事不成，故伤事。侈则金贵，金贵则货贱，故伤货。货尽而后知不足，是不知量也。事已而后知货之有余，是不知节也。不知量，不知节，不可。为之有道。

【注释】

①理：这里指黄金的作用。

②伤事：抑制生产。

③伤货：浪费资源。

【译文】

黄金

黄金是度量财富的工具。了解黄金的作用，就会知道奢侈和省俭；知道奢侈和省俭，各项用度就能得到调节。所以省俭会抑制生产，奢侈会浪费资源。省俭会导致金价下降；金价下降，会抑制生产。奢侈会导致金价上升；金价上升，物价就会降低，会浪费资源。货物用完后才知道不足，是不了解用量。事情做完了，才发现货物有结余，是不知道调节。不知道用量，不知道调节，是不行的。明白这些也就明白了治国的规律。

【原文】

诸侯之地千乘之国

天下乘马服牛，而任之轻重有制[①]。有一宿之行，道之远近有数矣。是知诸侯之地，千乘之国者，所以知器之小大也，所以知任[②]之轻重也。重而后损之，是不知任也；轻而后益之，是不知器也。不知任，不知器，不可。为之有道。

【注释】

①制：限度。

②任：负担的能力。

【译文】

诸侯之地千乘之国

天下的牛马，它们的载货轻重是有一定的限度的。知道它们一夜走了多远，也就了解道路的远近了。因此，知道诸侯国的兵车和土地数量，就能推算出军队规模的大小，了解负担军费的轻重。负担过重之后再削减，是不了解负担军费的能力；负担过轻之后再增加，是不了解军队规模的大小。不了解负担军费的能力，不了解军队的规模，是不行的。明白这些也就掌握了治国的规律。

【原文】

士农工商

距国门以外，穷四竟[①]之内，丈夫二犁，童五尺一犁，以为三日之功[②]。正月令农始作，服于公田农耕。及雪释耕始焉，芸[③]卒焉。士闻见、博学、意察[④]，而不为君臣者，与功而不与分焉。贾，知贾之贵贱。日至于市，而不为官贾者，与功而不与分焉。工，治容貌功能，日至于市，而不为官工者，与功而不与分焉。不可使而为工，则视贷离[⑤]之实而出夫粟。

是故智者知之，愚者不知，不可以教民。巧者能之，拙者不能，不可以教民。非一令而民服之也，不可以为大善。非夫人能之也，不可以为大功。是故非诚贾不得食[⑥]于贾，非诚工不得食于工，非诚农不得食于农，非信士不得立于朝。是故官虚而莫敢为之请，君有珍车珍甲而莫之敢有。君举事，臣不敢诬其所不能。君知臣，臣亦知君知己也。故臣莫敢不竭力，俱操其诚以来。

道曰：均地分力，使民知时也。民乃知时日之蚤晏⑦、日月之不足、饥寒之至于身也。是故夜寝蚤起，父子兄弟不忘其功⑧，为而不倦，民不惮劳苦。故不均之为恶也，地利不可竭，民力不可殚。不告之以时而民不知，不道之以事而民不为。与之分货则民知得正矣，审其分则民尽力矣。是故不使而父子兄弟不忘其功。

【注释】

①竟：境。

②功：服役。

③芸：耕耘，除草。

④意察：精明果断之人。

⑤贷离：差额。

⑥得食：以此为生。

⑦蚤晏：早晚。

⑧功：指农业生产。

【译文】

士农工商

从都城的城门之外，到全国各地，成年男子按照两张犁的数量，未成年男子按照一张犁的数量，都要为国家服役三天。正月就让百姓开始耕作，到公田服役，从雪化春耕开始，一直到夏锄结束。对于那些见识广、学问博、做事精明的士人，只要他们没有做官，也要参加服役但不参与分配收益。对于那些了解物价贵贱，每天都在集市上交易的商人，只要他们不是官商，也要服劳役却不参与分配收益。对于那些讲求器物的样式功能，每天在集市交易的手工业者，只要他们不是官家工匠，也要服劳役却不参与分配收益。对于那些不能直接服役的人，就看他们所差的实际数额，用缴纳粮食的方法来补偿。

只有聪明人明白而愚蠢的人不明白的事情，不可以用来教化一般百姓。只有灵巧的人能做到而愚笨的人做不到的事情，也不可以用来教化一般百姓。如果不是命令一下人人都能执行，就不能实现大治；如果不是人人都能做到，就不能建立大功。所以，不诚信的商人，不得经商为生；不诚信的工匠，不得做工为生；不诚信的农夫，不得务农为生；不诚信的士人，不能让他在朝中为官。这样，就算官位空缺，也没有人敢贸然请求；即使君主有珍车、珍甲，也没有人敢于妄自享有；国家举办大事，臣下自然就不敢随便承诺他们做不到的事情。君主了解臣下，臣下也清楚君主了解自己。所以，臣下没有一个不尽心竭力、忠诚地为君主服务的。

天道如此：把土地公平地分给百姓经营，可以促使百姓自己抓紧农时。他们会关注时令的早晚，意识到光阴的紧迫以及饥寒的威胁。因此他们就能够做到晚睡早起，父子兄弟全家人都关心农业生产，不知疲倦、不辞辛苦地干活。而不把土地平均分配下去的弊端，就在于不能充分利用地利，不能充分发挥人力。不告诉他们农时，百姓就不会抓紧；不指导他们农事，百姓就不干活。实行与民分取财货的制度，百姓就能切实看到收益和应缴纳的赋税；再明确标准，百姓就会尽力了。所以不必督促他们，他们也会积极参与生产。

【原文】

圣人

圣人之所以为圣人者，善分民[①]也。圣人不能分民，则犹百姓也。于己不足，安得名圣？是故有事则用[②]，无事则归之于民，唯圣人为善托业于民。民之生也，辟则惠[③]，闭则类[④]，上为一，下为二。

【注释】

①分民：把利分给百姓。

②用：征收。

③辟则惠：越开导越通达。惠，通“慧”。

④闭则类：越约束越善良。

【译文】

圣人

圣人之所以是圣人，就是因为他善于把利分给百姓。如果圣人不擅长把利分给百姓，那他就同普通百姓一样了。自己都贪婪不满足，又怎么能算圣人呢？所以，国家有事就从百姓那里征收财物，无事就藏富于民，只有圣人才善于把事业寄托于百姓。百姓的本性，是越开导就越通达，越约束就越善良。上面做出好榜样，下面就会加倍模仿。

【原文】

失时

时之处事精[①]矣，不可藏而舍[②]也。故曰：今日不为，明日亡货，昔之日已往而不来矣。

【注释】

①精：珍贵。

②舍：停止。

【译文】

失时

对于农事来说，农时是非常重要的，不能把它藏起来从而让它停止不前。所以说：今天不生产，明天就没有收获。过去的时光，一去就不会再回来了。

【原文】

地里

上地①方八十里，万室之国一，千室之都四。中地方百里，万室之国一，千室之都四。下地方百二十里，万室之国一，千室之都四。以上地方八十里，与下地方百二十里，通于②中地方百里。

【注释】

①上地：上等的土地。

②通于：相当于。

【译文】

地里

方圆八十里的上等土地，可以建设成为一座人口上万户的城市、四座人口上千户的城镇。方圆一百里的中等土地，可以建设成为一座人口上万户的城市、四座人口上千户的城镇。方圆一百二十里的下等土地，可以建设成为一座人口上万户的城市、四座人口上千户的城镇。因此，方圆八十里的上等土地与方圆一百二十里的下等土地，都相当于方圆一百里的中等土地。

七法

【题解】

七法，治国理军的七项基本原则，分别是则、象、法、化、决塞、心术、计数。则，即法则，指治国理军必须遵守的规律；象，即形象，指治国理军必须查明客观事情的实际形象；法，即规范，指治国理军必须制定规范；化，即教化，指治国理军必须重视教化和训练；决塞，即开闭，指治国理军必须有放有收，收放自如；心术，即思想，指治国理军必须运用心计；计数，即计算，指治国理军必须要善于计算。此外，还介绍了七法、四伤、为兵之数和选陈等。

【原文】

言是而不能立，言非而不能废，有功而不能赏，有罪而不能诛①，若是而能治民者，未之有也。是必立，非必废，有功必赏，有罪必诛，若是安②治矣？未也。是何也？曰：形势③器械④未具，犹之不治也。形势器械具，四者备，治矣。不能治其民，而能强其兵者，未之有也。能治其民矣，而不明于为兵之数，犹之不可。不能强其兵，而能必胜敌国者，未之有也。能强其兵，而不明于胜敌国之理，犹之不胜也。兵不必胜敌国，而能正天下者，未之有也。兵必胜敌国矣，而不明正天下之分⑤，犹之不可。故曰：治民有器，为兵有数⑥，胜敌国有理，正天下有分。

【注释】

①诛：惩罚。

②安：就。

③形势：治理百姓的客观条件。

④器械：治理百姓的设施。

⑤分：名分。

⑥数：策略。

【译文】

正确的主张得不到树立，错误的主张不被废除，有功得不到奖赏，有罪得不到惩罚，像这样还能治理好百姓的，从来都没有过。正确的主张要坚决采用，错误的主张坚决废止，有功者必须奖赏，有罪者必须惩罚，这样就能治理好百姓了吗？还不能治理好。为什么？因为不具备治理百姓的客观条件和制度设施，仍然无法治理好百姓。具备客观条件和制度设施后，再加上上面的四项，就可以治理好百姓了。不能治理好百姓却能强大军队，这样的事情从来没有。但能治理好百姓却不懂用兵的策略，还是不行的。没有强大的军队却能战胜敌国，这样的事情从来没有。但是，拥有强大的军队却不懂得战胜敌国的道理，还是不能打胜。军队没有战胜敌国的把握却能够征服天下，这样的事情从来没有。但是，军队就算有了必胜的把握却不明白征服天下的名分，还是不行的。所以说：治民要有条件，用兵要讲策略，战胜敌国要讲道理，匡正天下要有名分。

【原文】

七法

则、象、法、化、决塞、心术、计数①。根②天地之气，寒暑之和，水土之性，人民鸟兽草木之生，物虽甚多，皆均有焉，而未尝变也，谓之则③。义也、名也、时也、似也、类也、比也、状也，谓之象。尺寸也、绳墨也、规矩也、衡石也、斗斛也、角量也，谓之法。渐也、顺也、靡也、久也、服也、习也，谓之化。予夺也、险易也、利害也、难易也、开闭也、杀生[④]也，谓之决塞。实也、诚也、厚也、施也、度也、恕也，谓之心术。刚柔也、轻重也、大小也、实虚也、远近也、多少也，谓之计数。

不明于则，而欲错仪画制[⑤]，犹立朝夕于运均之上，搖竿而欲定其末。不明于象，而欲论材审用，犹绝长以为短，续短以为长。不明于法，而欲治民一众，犹左书而右息之。不明于化，而欲变俗易教，犹朝揉轮而夕欲乘车。不明于决塞，而欲驱众移民，犹使水逆流。不明于心术，而欲行令于人，犹倍招[⑥]而必射之。不明于计数，而欲举大事，犹无舟楫而欲经于水险也。故曰：错仪画制，不知则不可。论材审用，不知象不可。治民一众，不知法不可。变俗易教，不知化不可。驱众移民，不知决塞不可。布令必行，不知心术不可。举事必成，不知计数不可。

【注释】

①则、象、法、化、决塞、心术、计数：七法。

②根：探索。

③则：规律。

④杀生：杀死和放生。

⑤错仪画制：制定法令制度。

⑥倍招：背对着箭靶。

【译文】

七法

七法就是规律、形象、规范、教化、权衡、心术和计数。探索天地的元气，寒暑的协调，水土的特性以及人类、鸟兽、草木的生长繁衍，虽然有很多事物，但它们都有一个不变的共同点，就是规律。事物的外形、名称、年代、相似、类属、次序、状态等，叫作表象。尺寸、绳墨、规矩、衡石、斗斛、角量等，叫作规范。让百姓渐进、驯服、磨炼、熏陶、适应、习惯等，叫作教化。考虑给予与争夺、险与易、利与害、难与易、开与闭、死与生等，叫作权衡。老实、忠诚、宽厚、施舍、度量、容让等，叫作心术。刚柔、轻重、大小、虚实、远近、多少等，叫作计数。

不明白规律，就想制定法令制度，就如同把测时间的标竿插在转动着的陶轮上，摇晃竹竿而希望稳定末端一样。不了解表象，就想根据才能来用人，就如同把长的木材截短了用，短的木材接长了用一样。不了解事物的规范，就想治理百姓统一号令，就如同用左手写字，而让右手阻止一样。不明白教化，就想变易风俗，就如同早上刚刚制好车轮，晚上就想乘车一样。不了解权衡之术，就想驱使和调遣百姓，就如同使水倒流一样。不了解心术，就想对百姓发号施令，就如同背对着靶子射箭还希望命中一样。不了解计数，就想要办大事，就如同没有船和桨还想渡过急流一样。所以说：定法令制度，不了解规律不行；量才用人，不了解表象不行；治理百姓统一号令，不了解规范不行；变易风俗，不了解教化不行；驱使和调遣百姓，不了解权衡不行；发布命令必定实行，不了解心术不行；办大事必定成功，不了解计数不行。

【原文】

四伤百匿

百匿①伤上威，奸吏伤官法②，奸民伤俗教，贼盗伤国众。威伤则重在下，法伤则货上流，教伤则从令者不辑③，众伤则百姓不安其居。重在下④则令不行，货上流则官德毁，从令者不辑则百事无功，百姓不安其居则轻民⑤处而重民⑥散。轻民处、重民散则地不辟，地不辟则六畜不育，六畜不育则国贫而用不足，国贫而用不足则兵弱而士不厉，兵弱而士不厉则战不胜而守不固，战不胜而守不固则国不安矣。故曰：常令不审则百匿胜，官爵不审则奸吏胜，符籍[7]不审则奸民胜，刑法不审则盗贼胜。国之四经败，人君泄见危。人君泄，则言实之士不进。言实之士不进，则国之情伪[8]不竭于上。

世主所贵者宝也，所亲者戚也，所爱者民也，所重者爵禄也。明君则不然。致[9]所贵非宝也，致所亲非戚也，致所爱非民也，致所重非爵禄也。故不为重宝亏其命，故曰令贵于宝；不为爱亲危其社稷，故曰社稷戚于亲；不为爱人枉其法，故曰法爱于人；不为重禄爵分其威，故曰威重于爵禄。不通此四者，则反于无有。故曰：治人如治水潦，养人如养六畜，用人如用草木。君身论道行理，则群臣服教，百吏严断，莫敢开私焉。论功计劳，未尝失法律也。便辟、左右、大族、尊贵、大臣，不得增其功焉。疏远、卑贱、隐不知之人，不忘其劳。故有罪者不怨上，受赏者无贪心，则列陈之士[10]，皆轻其死而安难，以要上事。为兵之极也。

【注释】

①百匿（tè）：众多奸邪。

②官法：国家法令。

③辑：和谐，和睦。

④重在下：权力下行。

⑤轻民：从事工商业的人。

⑥重民：从事农业的人。

⑦符籍：通行凭证和人口登记簿。

⑧情伪：真假。

⑨致：最。

⑩列陈之士：临阵的战士。

【译文】

四伤百匿

宫廷中的各种奸邪损害君主的权威，奸吏破坏国家的法制，奸民伤害风俗教化，贼盗伤害国内的百姓。损害了君主的权威，君权就会下行；伤害了法制，财货贿赂就会往上流；伤害了教化，百姓就不会和睦共处；伤害了民众，百姓就无法安居。君权下行，就无法推行政令；财货上流，必然败坏官德；臣民不和，百事都无法成功；百姓无法安居，就会造成从事工商业的人增加而务农的人离散。从事工商业的人增加而务农的人离散就会导致土地得不到开垦；土地不开垦就会导致六畜不能繁育；六畜不育，就会导致国家贫困而财力不足；国家贫困而财力不足，就会导致军队疲弱而士气不高；军队疲弱、士气不高，就会导致战不能取得胜利、守不能固若金汤；战不胜而守不固，国家就危在旦夕了。所以说：国家法令不严明，国君左右的奸臣就会得逞；官爵制度不严明，奸邪的官吏就会大行其道；符籍制度不严明，奸民就会滋生蔓延；刑法制度不严明，盗贼就会猖獗。一国的四经——大法、官爵、符籍、刑法都败坏了，君主将被蔑视，危亡就会出现。君主被蔑视，诚信的人就不肯向君主进言；诚信的人不进言，君主就不能掌握国家的真实情况了。

一般的君主都很重视珍宝，亲近自己的亲戚，爱护自己的百姓，重惜爵禄。英明的君主则不是这样。他最重视的不是珍宝，最亲近的不是自己的亲戚，最爱护的不是百姓，最重惜的不是爵禄。所以，英明的君主不会为看重珍宝而损害政令，政令贵于珍宝；不会为了亲戚而危害国家，国家重于亲戚；不会为爱其百姓而违反法律，爱护法律高于爱护百姓；不会为了重惜爵禄而削弱自己的威信，威信重于爵禄。君主如果不懂得这四条道理，就会一事无成。所以说：治人就像治水，养人就像养六畜，用人就像用草木。君主自身能以身作则按理办事，群臣自然会服从政令，百官自然断事严明，谁也不敢徇私。在奖赏功劳的时候，不能违背法令规定。宠臣、侍从、豪门大族、权贵大臣们，都不能无故拔高他们的功绩。关系疏远的、地位低贱的、不知名的人，只要他们有功就不该埋没。这样，犯罪的人就不会抱怨君上，受赏的人也不会滋长贪婪，临阵的将士们就会不怕牺牲，视死如归，为国立功了。这是治军的最高原则。

【原文】

为兵之数

为兵之数，存乎聚财而财无敌①，存乎论工②而工无敌，存乎制器而器无敌，存乎选士而士无敌，存乎政教而政教无敌，存乎服习③而服习无敌，存乎遍知④天下而遍知天下无敌，存乎明于机数⑤而明于机数无敌。故兵未出境而无敌者八。是以欲正天下，财不盖天下，不能正天下；财盖天下，而工不盖天下，不能正天下；工盖天下，而器不盖天下，不能正天下；器盖天下，而士不盖天下，不能正天下；士盖天下，而教不盖天下，不能正天下；教盖天下，而习不盖天下，不能正天下；习盖天下，而不遍知天下，不能正天下；遍知天下，而不明于机数，不能正天下。故明于机数者，用兵之势⑥也，大者时也，小者计也。

王道非废也，而天下莫敢窥者，王者之正也。衡库⑦者，天子之礼也。是故器成卒选，则士知胜矣。遍知天下，审御机数，则独行而无敌矣。所爱之国而独利之，所恶之国而独害之，则令行禁止，是以圣王贵之。胜一而服百，则天下畏之矣。立少而观多，则天下怀之矣。罚有罪，赏有功，则天下从之矣。故聚天下之精材，论百工之锐器，春秋角试以练，精锐为右，成器不课[⑧]不用，不试不藏。收天下之豪杰，有天下之骏雄，故举之如飞鸟，动之如雷电，发之如风雨，莫当其前，莫害其后，独出独入，莫敢禁圉。成功立事，必顺于理义，故不理不胜天下，不义不胜人。故贤知之君必立于胜地，故正天下而莫之敢御也。

【注释】

①财无敌：拥有的财富天下最多。

②论工：考察工匠的技巧。

③服习：军事训练。

④遍知：了解，掌握。

⑤明于机数：审定时机和策略。

⑥势：关键。

⑦衡库：权衡利弊。

⑧课：检查。

【译文】

为兵之数

用兵的方法，在于积聚财富，并使财富天下无敌；在于考察工匠的技巧，并使工匠的技巧天下无敌；在于制造兵器，并使兵器天下无敌；在于选拔战士，并使战士天下无敌；在于加强军队的管理教育，并使管教工作天下无敌；在于军事训练，并使训练工作天下无敌；在于调查各国情况，并使调查工作天下无敌；在于审定时机和策略，并使审定时机和策略天下无敌。这样的话，军队就算没有出国境，就已经在八个方面天下无敌了。所以，要想征服天下，财力达不到天下无敌，不能征服；财力能达到天下无敌，但工匠技巧达不到天下无敌，不能征服；工匠技巧能达到天下无敌，但兵器达不到天下无敌，不能征服；兵器能达到天下无敌，但战士达不到天下无敌，不能征服；战士能达到天下无敌，但管理教育工作达不到天下无敌，不能征服；管教工作能达到天下无敌，但军事训练达不到天下无敌，不能征服；训练能达到天下无敌，却不能全面了解天下的情况，不能征服；全面了解天下的情况，但不能审定时机和策略，还是不能征服天下。所以审定时机和策略是用兵的关键。首先最重要的是掌握作战时机，其次是安排作战计划。

王道不能废除，天下之所以不敢轻视推行王道的国家，就在于王道是正义的。衡量天下的利弊得失，是天子应当遵守的礼数。所以，制成精良的兵器，选定优秀的士兵，军队就有了必胜的信心。全面了解各国的情况，审定时机计策，就可以天下无敌了。对于友好的国家，要给予它们特殊的扶持；对于敌对的国家，要给予它们特殊的惩罚。这样发出命令就能执行，要求禁止就能停下。因此，英明的君主都很重视这种做法。战胜一个国家，其他国家就表示臣服，天下人都会害怕。持植少数国家，从而给多数国家示范，天下人都会归附。惩罚犯罪的人，赏赐有功的人，天下人也都跟着服从了。因此，要聚集天下最好的材料，研究各种工匠制造的兵器，在春秋两季进行比试，选拔精锐的器械列为上等。制成的武器，没有检查过的绝不使用，没有试验合格的绝不入库。再聚集天下的豪杰，网罗天下的勇将。这样就能做到举兵如飞鸟，动兵似雷电，发兵像风雨，在前无人能够阻挡，在后无人能够伤害，独出独入，无人敢于抵抗。建功立业，一定要合乎正理与正义。不合理的战争无法取胜天下，不合义的战争无法战胜他人。因此，圣贤明智的君主，一定是站在必胜的立场，这样才能征服天下而无人抗拒。

【原文】

选陈

若夫曲制时举[①]，不失天时，毋圹[②]地利。其数[③]多少，其要必出于计[④]。故凡攻伐之为道也，计必先定于内，然后兵出乎境。计未定于内而兵出乎境，是则战之自败，攻之自毁也。是故张军[⑤]而不能战，围邑而不能攻，得地而不能实，三者见一焉，则可破毁也。故不明于敌人之政，不能加[⑥]也。不明于敌人之情，不可约[⑦]也。不明于敌人之将，不先军[⑧]也。不明于敌人之士，不先陈[⑨]也。是故以众击寡，以治击乱，以富击贫，以能击不能，以教卒练士击驱众白徒，故十战十胜，百战百胜。

故事无备，兵无主，则不蚤知敌。野不辟，地无吏，则无蓄积。官无常，下怨上，而器械不功[⑩]。朝无政则赏罚不明，赏罚不明则民幸生。故蚤知敌则如独行，有蓄积则久而不匮，器械功则伐而不费，赏罚明则人不幸生，人不幸生则勇士劝之。故兵也者，审于地图，谋于日官，量蓄积，齐勇士，遍知天下，审御机数，兵主之事也。

有风雨之行，故能不远道里矣；有飞鸟之举，故能不险山河矣；有雷电之战，故能独行而无敌矣；有水旱之功[⑪]，故能攻国救邑；有金城之守，故能定宗庙、育男女矣；有一体之治[⑫]，故能出号令、明宪法矣。风雨之行者，速也；飞鸟之举者，轻也；雷电之战者，士不齐也；水旱之功者，野不收、耕不获也；金城之守者，用货财、设耳目也；一体之治者，去奇说、禁雕俗也。不远道里，故能威绝域之民。不险山河，故能服恃固之国。独行无敌，故令行而禁止。攻国救邑，不恃权与之国[⑬]，故所指必听。定宗庙、育男女，天下莫之能伤，然后可以有国。制仪法，出号令，莫不响应，然后可以治民一众矣。

【注释】

①曲制时举：军队建制和作战时机。

②圹：废弃。

③数：军队所需的人员、物资、军需等的数量。

④计：计划谋略。

⑤张军：摆开阵势。

⑥加：发动战争。

⑦约：约战，下战书。

⑧军：进攻。

⑨陈：列阵。

⑩功：精良。

⑪水旱之功：水灾旱灾的功效。

⑫一体之治：如同人的身体一样协调统一。

⑬权与之国：盟国。

【译文】

选陈

关于军队建制和作战时机，应该把握时间，既不能失去天时，也不能忽视地利。军队所需的人员、物资、军需等数量的多少，关键在于一定要根据计划。所以，凡是开战的战略，都要求在国内做好计划，然后再出兵。还没有在国内做好计划就出兵，这是战之自败，攻之自毁的。摆开阵势却不能打仗，包围城邑却不能攻取，得了土地却不能据守，只要出现三种情况的一种，军队都要被毁灭。所以，不了解敌人的政治，不要进行战争；不了解敌人的军情，不要宣战；不了解敌人的将领，不要先采取军事行动；不了解敌人的士兵，不要先摆列阵势。只有保证以多数对抗少数，以有序对抗无序，以富有对抗贫困，以良将帅对抗无能，以训练有素的士卒对抗临时征集的士兵，才能做到十战十胜，百战百胜。

作战无准备，部队无统帅，就不可能预先知道敌情。荒地没有开垦，土地无人管理，就不可能积蓄财富。官府没有规则，工匠怨恨上级，造出的武器就不可能精良。朝廷政令不齐全，赏罚不分明，百姓就会苟且偷生。因此，事先了解敌人的情况，才能够战无不胜；积蓄足够的财富，才能够坚持久战而不会供应不足；拥有精良的武器，打起仗来才能顺利；赏罚严明，百姓才不会苟且偷生；百姓都不苟且偷生，勇士们就会努力。所以，关于用兵，一定要详细了解地理情况，把握天时，精确统计军需贮备，严格训练士兵，全面掌握敌国的情况，抓住战机和运用策略，这些正是统帅的职责。

发兵像风雨般行进，就不会担心路途遥远；用兵像飞鸟般行动，就不会担心山河险阻；动兵像雷电般进攻，就会所向无敌；军队有像水灾旱灾般毁坏效果，就能够攻城略地；有像金城般牢固的防守，就能够使宗庙安定，繁育人口；有如身体般协调的统一机制，就能够发号施令，严明法制了。风雨般的行进，就是动作快速；飞鸟般的行动，就是行动轻捷；雷电般的进攻，就是使敌兵来不及布阵；水旱般的毁坏效果，就是使敌方土地颗粒无收、耕种难以收获；金城般的防守，就是要用财货收买敌人，派出间谍；如身体般协调的统一机制，就是要禁止邪说和奢靡之风。军队不怕遥远的路途，就能威慑远方的臣民。不怕山河险阻，就能够征服靠险防守的敌国。所向无敌，就必然要做到令行禁止。攻城略地，就不必依靠盟国，军队指向哪里，哪里就会听从。安定宗庙，繁育子孙，无人敢破坏，就可以巩固政权了。制定法律和礼仪，发号施令，无人不来响应，就可以管理百姓和号令天下了。

版法

【题解】

版法，就是指那些刻在木板上的规则。本篇主要讲解了君主主持政事的重大原则问题。文中认为，君主成就事业的关键在于“三经”，即正君心、顺天时、得人和。要让君主做到如天地般博爱，拥有“兼爱”的胸怀，就要谨慎使用国家的财力民力，重视法度，顺应天时、日月、四时的规律，这样才能避开祸乱，巩固自己的统治。

【原文】

凡将立事①，正彼天植②，风雨无违，远近高下，各得其嗣③。三经既饬，君乃有国。

【注释】

①立事：临政治事。

②天植：君主的心志。

③嗣：治。

【译文】

凡是临政治事的君主，必须要端正心志，不违背风雨到来的农业时节，使远近高下的百姓都能得到良好管理。解决了这三个根本问题，国君才能算真正保有他的国家。

【原文】

喜无以赏，怒无以杀。喜以赏，怒以杀，怨乃起，令乃废。骤令①不行，民心乃外；外之有徒，祸乃始牙②。众之所忿，寡不能图。

举所美必观其所终，废所恶必计其所穷。庆勉敦敬以显之，富禄有功以劝之，爵贵有名以休之。兼爱无遗，是谓君心。必先顺教，万民乡风[3]。旦暮利之，众乃胜任。

【注释】

①骤令：屡次下令。

②牙：萌发。

③乡风：向着好的风气。

【译文】

不因个人高兴而赏赐，不因个人愤怒而肆意惩罚。如果是随意赏赐，肆意惩罚，就会招来百姓怨恨，政令也将废弛。政令屡次行不通，百姓就会有外心；有外心的人拉帮结派，祸乱就萌芽了。引起了大多数人的怨恨，少数人是难以应付的。

兴办喜欢的事情，一定要预算到事情的结果；废止厌恶的事情，一定要顾及到事情的后果。用赏赐慰劳对敦厚的人进行表扬，用俸禄财富对有功的人进行鼓励，用提升爵位对有名望的人进行赞誉。要兼爱众人而没有遗漏，才算得上是君主的胸怀。一定要严格教训，民众才会趋向好的风气。经常施以利益，民众才会完成自己的工作。

【原文】

取人以己[1]，成事以质[2]。审用财，慎施报，察称量。故用财不可以啬，用力不可以苦。用财啬则费[3]，用力苦则劳。民不足，令乃辱；民苦殃，令不行。施报不得，祸乃始昌。祸昌不寤，民乃自图。

【注释】

①取人以己：取用他人要比照自己。

②质：标准。

③费：不顺。

【译文】

取用他人要比照自己，成就事业要树立标准。要详细考虑国家的用度支出，谨慎对待施与和报酬，明确事物的分量与限度。所以，君主用于百姓的财用不能吝啬，征用民力不能过度。对百姓用财吝啬百姓就会反抗，用民力过度百姓就会疲劳。百姓贫弱，政令就无法推行；百姓苦于劳役，政令就无法贯彻。给予报酬不合适，祸乱就开始萌芽；祸乱萌芽而国君还不醒悟，百姓就自谋叛乱了。

【原文】

正法直度，罪杀不赦。杀僇[①]必信，民畏而惧。武威既明，令不再行。顿卒[②]怠倦以辱之，罚罪有过以惩之，杀僇犯禁以振之。植固不动，倚邪乃恐。倚革邪化，令往民移。

法天合德，象地无亲，参于日月，佐于四时。悦众在爱施，有众在废私，召远在修近，闭祸在除怨。备长[③]在乎任贤，安高[④]在乎同利。

【注释】

①僇：杀戮。

②顿卒：斥责。

③备长：为长远做准备。

④安高：巩固君权。

【译文】

法律公平，制度明确，有罪必杀，决不饶恕。严格执行杀戮说到做到，百姓就会心生畏惧。把刑法权威向民众公示，就不必一再重申法令。对于懒惰的人，要通过训斥让他们感到羞耻；对于犯错的人，要通过处罚让他们受到惩戒；对于犯罪的人，要通过杀戮让他们受到震慑。只要君主拥有坚定而不动摇的执法之心，乖异邪恶的人就会感到恐惧。乖异邪恶的行为都有了改正，法令一颁布，百姓自然依法行动。

君主应该效法上天施德万物，应该效仿大地博爱万物，以日月为参照，以四时为辅佐。要让百姓高兴就要善于给予，要想得到民众的拥护就要破除私心，要想招徕远方的人们就要修治国内，要想避免发生祸乱就要消除人怨。要想为长远做准备，就要任用贤人；要想巩固君权，就要与民同利。

五辅

【题解】

五辅，就是指德、义、礼、法、权，是能够辅助君王的五种经济政治措施。本篇认为，要想称王天下，最主要的就是要争取人心；要想争取人心，最重要就是要给他们利益。而这个和君王的实际统治是分不开的。本篇主要阐述了德有六兴、义有七体、礼有八经、法有五务、权有三度等。我们选译了其中的德。

【原文】

古之圣王所以取明名[①]广誉、厚功大业，显于天下、不忘于后世，非得人者未之尝闻。暴王之所以失国家，危社稷，覆宗庙，灭于天下，非失人者未之尝闻。今有土之君，皆处欲安，动欲威，战欲胜，守欲固，大者欲王天下，小者欲霸诸侯，而不务[②]得人。是以小者兵挫而地削，大者身死而国亡。故曰：人不可不务也，此天下之极也。

【注释】

①明名：盛名。

②务：致力于。

【译文】

古代的圣王之所以能取得盛名广誉，建立丰功伟业，名扬于天下，为后世所铭记，从来没有听说过得不到人们的拥护。暴君之所以失去国家，损害社稷，颠覆宗庙，被天下人遗忘，从来没有听说过不是因为失掉百姓的拥护。当今拥有国土的君主，都希望生活安定，行动有威信，战争能胜利，防务很巩固。雄心大的，想一统天下，雄心小的，想称霸诸侯，却不重视争取人心。所以，轻则军队失败，国土削减；重则丧失生命，国家灭亡。所以说，人心不可不去努力争取，这是天下最重要的原则。

【原文】

曰：然则得人之道，莫如利之。利之之道，莫如教之以政。故善为政者，田畴垦而国邑实，朝廷闲而官府治，公法行而私曲[1]止，仓廪实而囹圄空，贤人进而奸民退。其君子上[2]中正而下谄谀，其士民贵武勇而贱得利，其庶人好耕农而恶饮食[3]，于是财用足而饮食薪菜饶。是故上必宽裕而有解舍[4]，下必听从而不疾怨。上下和同而有礼义，故处安而动威，战胜而守固，是以一战而正诸侯。不能为政者，田畴荒而国邑虚，朝廷凶而官府乱，公法废而私曲行，仓廪虚而囹圄实，贤人退而奸民进。其君子上谄谀而下中正，其士民贵得利而贱武勇，其庶人好饮食而恶耕农，于是财用匮而饮食薪菜乏，上弥残苟而无解舍，下愈覆鸷[5]而不听从，上下交引而不和同。故处不安而动不威，战不胜而守不固。是以小者兵挫而地削，大者身死而国亡。故以此观之，则政不可不慎也。

【注释】

①私曲：歪曲公法的私议。

②上：推崇。

③饮食：大吃大喝。

④解舍：宽免赋役。

⑤覆鸷（zhì）：固执而凶狠。

【译文】

我们说：争取人心的方法，最好是给他们实际的利益；而给他们实际的利益的方法，最好是用实际政绩来保证。所以，善于为政的人，总是开垦田地而城邑富足，朝廷安闲而官府清明，通行公法而废止私议，粮仓充实而监狱空乏，任用贤人而罢免奸臣。统治阶层总是崇尚公正而鄙视狡诈之风，士民阶层总是重视勇武而轻视财利，平民阶层总是爱好农耕而讨厌大吃大喝。于是，财用富足而百姓的日常生活很富裕。所以，国家只有富足，赋税才能有所减免；百姓要做到顺从，才能没有怨恨。上下协调，遵守礼仪，君主才能生活安定而办事威信，战则能胜而防则坚固，这样才能一战而征服诸侯。不善于为政的人，总是荒芜田地而城邑贫穷，朝廷纷扰不断而官府混乱，废弃公法而私议横行，粮仓空虚而监狱满员，罢退贤良而重用奸臣。统治阶层总是献媚成风而鄙视公正，士民阶层总是重视财利而轻视勇武，平民阶层总是喜好吃喝而讨厌耕作，于是财用匮乏而日常生活困难。君主更加残暴苛刻而赋税难以减免，百姓固执凶顽而拒不遵从，上下互相较量而不能协调统一。所以君主生活不安定而办事无威信，战争失败而防守软弱。于是轻则打仗失败而土地削减，重则丧失生命、国家灭亡。这样看来，为政必须要谨慎看待这些问题。

【原文】

德有六兴，义有七体，礼有八经，法有五务，权有三度。

所谓六兴者何？曰：辟田畴，制坛宅，修树艺，劝士民，勉稼穑，修墙屋，此谓厚其生。发伏利①，输墆积，修道途，便关市，慎将宿②，此谓输之以财。导水潦，利陂③沟，决潘渚④，溃泥滞，通郁闭，慎津梁，此谓遗之以利。薄征敛，轻征赋，弛刑罚，赦罪戾，宥小过，此谓宽其政。养长老，慈幼孤，恤鳏寡，问疾病，吊祸丧，此谓匡其急。衣冻寒，食饥渴，匡贫窭⑤，振罢露⑥，资乏绝，此谓振其穷。凡此六者，德之兴也。六者既布，则民之所欲无不得矣。夫民必得其所欲，然后听上；听上然后政可善为也。故曰：德不可不兴也。

【注释】

①伏利：未开发的利益。

②将宿：送迎。

③陂：池塘。

④潘渚：洪水泛滥。

⑤窭（jū）：贫寒。

⑥振罢露：赈济疲惫露宿的饥民。

【译文】

德行有六“兴”，道义有七“体”，礼仪有八“经”，法令有五“务”，权力有三“度”。

什么叫六兴呢？回答是：开垦田地，建造住宅，重视种植，劝勉士民，鼓励农事，修建房屋，这些就是改善百姓生活。发掘未开发的利益，疏散积滞的财物，修建道路，便利市场交易，谨慎对待迎来送往，这些就是给百姓输送财货。疏导积水，修通堵塞的水沟，挖通回流的浅滩，清除淤积的泥沙，疏通堵塞的河道，重视渡口和桥梁，这些就是给百姓提供方便。降低租税，减少捐赋，减轻刑罚，赦免悔改的罪犯，宽容小错误，这些就是实施宽松的政策。孝敬老人，爱护幼小的孤儿，救济丧偶的人，关心百姓的健康，吊慰祸丧的家属，这些就是救人之危。给挨冻的人衣服，给饥渴的人饮食，救助贫陋的家庭，赈济房屋破败的人家，资助一贫如洗的人，这些就是救人于穷困。这六个方面都属于兴举德政的表现。这六项都能做到，百姓所要求的，就没有不能得到的了。百姓的欲望得到满足，才能够听从君主的命令；听从君主的命令，政事才能办好。所以说：德政是不可不施行的。

枢言

【题解】

枢言，就是重要而关键的言论。枢，本指门上的转轴，在这里指事情的中心或关键部分。本篇运用哲理化的语言阐述了治国治天下、为君之道、为臣之道，以及政治、经济、外交等多个方面。本篇提出的一些观点，对于现在的政治仍然有一定的借鉴作用。

【原文】

管子曰：道之在天者，日也；其在人者，心也。故曰：有气则生，无气则死，生者以其气。有名则治，无名则乱，治者以其名。

枢言曰：爱之[①]，利之，益之，安之，四者道之出。帝王者用之，而天下治矣。帝王者，审所先所后，先民与地则得矣，先贵与骄则失矣。是故先王慎所先所后。

【注释】

①之：指百姓。

【译文】

管子说：道在天上，如同太阳；道在人体，如同心脏。所以说，有气则生，无气则死。活着就是依靠气。有名分则治，无名分则乱，统治国家就是依靠名分。

枢言指出：爱民、利民、益民、安民，这四者都是从道生出来的。成就帝王之业的人运用它们，天下便得到了治理。成就帝王之业的人，就是要清楚地知道应该先做什么事，后做什么事。把百姓和土地放在第一位就能获得成功，把高贵和骄傲放在第一位就会失败。所以，先代的圣王总是非常慎重地确定事物的先后次序。

【原文】

人主不可以不慎贵①，不可以不慎民，不可以不慎富。慎贵在举贤，慎民在置官，慎富在务地。故人主之卑尊轻重在此三者，不可不慎。

国有宝，有器，有用。城郭、险阻、蓄藏，宝也。圣智，器也。珠玉，末用也。先王重其宝器而轻其末用，故能为天下。

生而不死者二②，亡而不立者四：喜也者、怒也者、恶也者、欲也者，天下之败也，而贤者寡之。

为③善者，非善也，故善无以为也。故先王贵善。

王主积于民，霸主积于将战士，衰主积于贵人④，亡主积于妇女珠玉。故先王慎其所积。

疾之，疾之，万物之师也。为之，为之，万物之时也。强之，强之，万物之指⑤也。

【注释】

①慎贵：慎重地对待富贵。

②二：气和名。

③为：伪。

④贵人：官吏。

⑤指：主旨，意义。

【译文】

君主不可不慎重地处理尊贵的问题，不可不慎重地处理百姓的问题，不可不慎重地处理财富的问题。慎重处理尊贵的问题，在于如何推举贤人；慎重处理百姓的问题，在于如何选用官吏；慎重处理财富的问题，在于如何加强农业。所以，君主的尊卑轻重决定于这三个方面，不可不慎重处理。

一个国家都会有宝贝、有器用、有财富。内外城墙、山川险地、粮食贮备，这些都是国家的宝贝；圣明智谋，是国家的器用；珠玉，是国家工商业的财富。先代圣王看重宝贝与器用，轻视财富，所以能治理天下。

生存而不死的原因有两个：气与名。亡国而不能立国的原因有四个：喜、怒、厌恶与欲望，它们都能导致国家的败亡，贤明的君主很少犯这些毛病。

伪善，不是真正的善。善，是无法弄虚作假的。因此先代圣王重视善。

成就王业的国君招徕百姓，成就霸业的国君招徕将士，衰败的国君扩大官僚阶层，亡国的国君则收敛珠玉与妇女。所以，先代圣王都慎重地对待积聚的问题。

要加紧探索，加紧探索，因为万物众多；努力去做，努力去做，因为万物是随时消逝的；努力探索，努力探索，因为万物意旨精深。

【原文】

凡国有三制，有制人者，有为人之所制者，有不能制人、人亦不能制者。何以知其然？德盛义尊，而不好加名于人。人众兵强，而不以其国造难生患。天下有大事，而好以其国后。如此者，制人者也。德不盛，义不尊，而好加名于人。人不众，兵不强，而好以其国造难生患。恃与国①，幸名利。如此者，人之所制也。人进亦进，人退亦退，人劳亦劳，人佚亦佚，进退劳佚，与人相胥②。如此者，不能制人，人亦不能制也。

爱人甚而不能利也，憎人甚而不能害也。故先王贵当，贵周。周者，不出于口，不见于色，一龙一蛇，一日五化之谓周。故先王不以一过二③。先王不独举，不擅功。

先王不约束，不结纽。约束则解，结纽则绝。故亲不在约束、结纽。先王不货交，不列地④，以为天下。天下不可改也，而可以鞭箠⑤使也。

时也，义也，士为之也。余目不明，余耳不聪，是以能继天子之容。官职亦然。时者得天，义者得人。既时且义，故能得天与人。

先王不以勇猛为边竟⑥则边竟安，边竟安则邻国亲，邻国亲则举当矣。

【注释】

①与国：盟国。

②胥：从。

③以一过二：意指过分夸大。

④列地：割地结交。

⑤鞭箠（chuí）：指武力。

⑥竟：境。

【译文】

凡是国家之间有三种控制关系：控制别国的，被别国控制的，既不能控制别国、别国也不能控制自己的。如何知道是这样的呢？有的国家德盛义高，且不喜欢把自己的意愿强加到他国头上；虽然人口众、兵力强盛，却并不凭借本国的实力制造灾难和祸患；天下有大的事变时，却愿意使自己的国家走在后面。这样的国家，必然是控制别国的国家。没有盛德，没有高义，却喜欢把自己的意愿强加到他国头上；人口不多，兵力不强，却好凭借本国的实力制造灾难和祸患；依靠同盟，侥幸取得名利；这样的国家，必然是被他国控制的国家。别国前进他也前进，别国后退他也后退，别国劳作他也劳作，别国安逸他也安逸，进退劳逸，跟随别国；这样的国家，不能控制别国，别国也不能控制本国。

就算非常爱一个人，也不能随意给他利益；非常憎恨一个人，也不能无故加害于他。所以，先王处事总是注重分寸，注重机密。机密，就是不要轻易说话，不要贸然在脸上表现，如同龙和蛇，一天变五次也没有人察觉，这才是注重机密。所以，先王不会过分夸大把一说成二，也不会独自行动或独占功劳。

早先的圣王不会与任何人结成同党，也不会与他国结成同盟。结成同党就必然解散，结成同盟就必然断绝，所以国家的亲密关系不在于结党和结盟。先王也不会用财物进行邦交，不会用割地的办法来治理天下。天下各国的相互关系虽然不会轻易改变，但却可以用武力统一驾驭。

合乎天时，合乎正义，就都会成功。其他的事情，就不要多看多听了，这才能够保持天子圣明的名声。官吏处理事情也应该如此。合于天时，则会得到天的帮助，合于正义，则会得到人的拥护。既合天时，又合正义，就能同时掌握天与人的力量了。

先前的圣王不会凭借武力来解决边境问题，这样边境就会安定；边境安定，则邻国相处就亲善；邻国相处亲善，就可以妥善处理事情了。

【原文】

人故[①]相憎也，人之心悍，故为之法。法出于礼，礼出于名。名、礼，道也。万物待名、礼而后定。

凡万物，阴阳两生而参视[②]。先王因其参而慎所入所出。以卑为卑，卑不可得；以尊为尊，尊不可得。桀、舜是也。先王之所以最重也。

得之必生，失之必死者，何也？唯粟。得之，尧舜禹汤文武孝己，斯待以成。天下必待以生，故先王重之。一日不食比岁歉，三日不食比岁饥，五日不食比岁荒，七日不食无国土，十日不食无畴[③]类，尽死矣。

先王贵诚信。诚信者，天下之结也。贤大夫不恃宗，至士不恃外权。坦坦[④]之利不以功，坦坦之备不为用。故存国家，定社稷，在卒谋之间耳。

圣人用其心，沌沌乎博而圜，豚豚[⑤]乎莫得其门，纷纷乎若乱丝，遗遗[⑥]乎若有从治。故曰，欲知者知之，欲利者利之，欲勇者勇之，欲贵者贵之。彼欲贵，我贵之，人谓我有礼。彼欲勇，我勇之，人谓我恭。彼欲利，我利之，人谓我仁。彼欲知，我知之，人谓我慜[⑦]。

戒之，戒之，微而[⑧]异之，动作必思之，无令人识之，卒来者必备之。

信之者，仁也。不可欺者，智也。既智且仁，是谓成人。

【注释】

①故：固。

②参视：第三个事情出现。

③畴：类，同辈。

④坦坦：平常。

⑤豚豚：隐秘。

⑥逡逡（qūn）：有次序。

⑦慜（mǐn）：敏。

⑧微而：不能。

【译文】

人本来是存在相互憎恶的情况的，人心凶悍，所以制定法令。法令出自礼，礼出自名分。名分和礼都是道。万物都是在名分和礼出现后才能确定下来。

万物都是由阴阳相生而形成的第三个事物，先王就是根据这种现象的存在而慎重对待正反两方面的。以卑下评定卑下，就不能了解什么是卑下；用高尚评定高尚，就不能了解什么是高尚。桀和舜就是这样的。这就是先王重视正反两方面的原因。

得到它就能生存，失去它就一定死亡，这个东西是什么呢？只有粮食。得到粮食，尧、舜、禹、汤、文、武和孝己都获得成功。天下人也必须依靠它才能生存。因此先代的圣王重视它。断了一天食，等于过歉收之年；断了三天食，等于过饥饿之年；断了五天食，等于过饥荒之年；断了七天食，就没有国土；断了十天食，人类就没有了，全部都将饿死。

先王重视诚信。有了诚信，天下各国才能相处安好。贤良的大夫不依靠宗室门第，士人不依靠别国的势力。取得了一点平平的成绩不自认为有功，平常的财富不会拿来自己使用。所以，使国家生存，让社稷安定的大事就能在短时间内的谋划解决了。

圣人运用他的心智时，表面混混沌沌实际却博大而周到，好像隐隐地让人摸不到门路，纷杂的样子好像一团乱丝，却又像井然有序地经过了梳理。所以说，想要求知的人，就让他获得知识；想要求利的人，就让他获得利益；想要求勇的人，就让他获得勇气；想要求地位的人，就让他获得地位。他想获得地位，我就让他获得地位，别人会说我有礼；他想获得勇气，我就让他获得勇气，别人会说我恭；他想获得利益，我就让他获得利益，别人会说我仁；他想获得知识，我就让他获得知识，别人会说我聪敏。

戒备，戒备，不能与人相异，做事一定要深思，不要被人看透，对于突发的事件，一定要有防备。

对人讲信用，就是仁义；不被人欺瞒，就是智慧；既有智慧又有仁义，就是成熟的人。

【原文】

贱固事①贵，不肖固事贤。贵之所以能成其贵者，以其贵而事贱也。贤之所以能成其贤者，以其贤而事不肖也。恶者，美之充也。卑者，尊之充也。贱者，贵之充也。故先王贵之。

天以时使，地以材使，人以德使，鬼神以祥使，禽兽以力使。所谓德者，先之之谓也。故德莫如先，应适莫如后。

先王用一阴二阳者霸，尽以阳者王，以一阳二阴者削，尽以阴者亡。

量之不以少多，称之不以轻重，度之不以短长。不审此三者，不可举大事。

能戒乎？能敕[2]乎？能隐而伏乎？能而稷乎？能而麦乎？春不生而夏无得乎？

先王事以合交，德以合人。二者不合，则无成矣，无亲矣。

【注释】

①事：侍奉。

②敕：整顿。

【译文】

卑贱的人固然应该侍奉高贵的人，庸俗的人固然应该侍奉贤良的人。但高贵的人之所以高贵，是因为他能够用自己高贵的身份为卑贱的人做事；贤良的人之所以贤良，是因为他能够用他贤良的身份为庸俗的人做事。丑陋是精美存在的根本，卑下是自尊高存在的根本，低贱是高贵存在的根本。所以先王很重视它们。

天依靠时令发挥作用，地依靠物材发挥作用，人依靠行德发挥作用，鬼神依靠赐福发挥作用，禽兽依靠力气发挥作用。德行，就是率先行德的。所以，行德最好走在前头，但应敌打仗还是后发制人比较好。

先王举事，如果拥有一个不利条件两个有利条件，就可以成就霸业；完全拥有有利条件，就可以成就王业；拥有一个有利条件两个不利条件，就会削弱衰退；拥有的完全是不利条件的，一定失败灭亡。

计量不讲究多少，称量不讲究轻重，度量不讲究短长。不讲究这三点，不能成就大事。

能够保持警惕吗？能够保持谨慎吗？能够保持低调而不张扬吗？能种谷得谷吗？能种麦得麦吗？能想到春天不生长，夏天无所得吗？

先王用处理政事来聚拢友谊，用行德来团结国人。两者都无所聚拢，那就不会有成就，也不会有亲近的人。

【原文】

凡国之亡也，以其长者也。人之自失也，以其所长者也。故善游者死于梁池，善射者死于中野。

命属于食，治属于事。无善事而有善治者，自古及今，未尝之有也。

众胜寡，疾胜徐，勇胜怯，智胜愚，善胜恶，有义胜无义，有天道胜无天道。凡此七胜者贵众，用之终身者众矣。

人主好佚欲，亡①其身失其国者，殆。其德不足以怀其民者，殆。明其刑而贱其士者，殆。诸侯假之威久而不知极已者，殆。身弥老不知敬其适子②者，殆。蓄藏积，陈朽腐，不以与人者，殆。

凡人之名三：有治也者，有耻也者③，有事也者。事之名二：正之，察之。五者而，天下治矣。名正则治，名倚④则乱，无名则死。故先王贵名。

先王取天下，远者以礼，近者以体⑤。体、礼者，所以取天下。远、近者，所以殊天下之际。

日益之而患少者，唯忠。日损之而患多者，唯欲。多忠少欲，智也，为人臣者之广道也。为人臣者，非有功劳于国也，家富而国贫，为人臣者之大罪也。为人臣者，非有功劳于国也，爵尊而主卑，为人臣者之大罪也。无功劳于国而贵富者，其唯尚贤乎？

【注释】

①亡：忘记。

②适子：太子。

③耻也者：执法的人。

④倚：不正。

⑤体：亲近。

【译文】

凡是国家的败亡，原因往往在于它的强势之处；人的自我过错，也往往是因为他的长处。所以，善于游泳的人常常溺死水中，善于射猎的人常常死在荒野。

维持生命依靠粮食，治理国家依靠事实。没有给百姓做过好事却拥有好的名声的，自古及今，从来没有过。

人多的战胜人少的，动作快的战胜动作慢的，勇敢的战胜胆怯的，智慧的战胜愚笨的，善良的战胜邪恶的，正义的战胜非正义的，有天道的战胜没有天道的。这七个胜利的条件贵在都具备了，如果能终身运用持之以恒，就自然能具备多数了。

君主喜好放荡纵欲，忘掉了自己的身份而不理朝政，必然危险；君主的德行和威望不能让百姓感化，必然危险；喜用刑罚来残害士人，必然危险；诸侯假借自己的权威，时间长且不知道尽快制止的，必然危险；自己很老了还不知道尊重太子的，必然危险；积聚的物资堆积，陈放的粮食腐朽，还不肯施与他人的，也必然危险。

人的名分有三种情况：有统理的，有被统治的，有执事的。执事的名分有两种；有在事前纠正的，有在事后查明的。具备了这五者，天下就能得到治理了。名分正则天下得以治理，名分不正则天下就会动乱，没有名分则天下就会灭亡。所以先王很重视名分。

先王谋取天下，礼待远的国家，亲近近的国家。亲近和礼仪，都是用来谋取天下的手段；远和近，是用来区分天下各国边界的。

每天都有增长却担心太少的，是忠心；每天都有减少却担心太多的，是欲望。多一些忠心少一些欲望，是明智的表现，也是人臣的宽阔道路。作为人臣，对国家没有功劳，却自己富有而国家贫困，就是大罪；作为人臣，对国家没有功劳，却自己尊享爵位而君主卑微，也是大罪。对国家没有功劳还能得到富贵，谁还去推崇贤良呢？

【原文】

众人之用其心也，爱者憎之始也，德者怨之本也。其事亲也，妻子具，则孝衰矣。其事君也，有好业，家室富足，则行衰矣。爵禄满，则忠衰矣。唯贤者不然。故先王不满①也。人主操逆，人臣操顺。

先王重荣辱，荣辱在为。天下无私爱也，无私憎也，为善者有福，为不善者有祸。祸福在为，故先王重为。明赏不费，明刑不暴。赏罚明，则德之至者也。故先王贵明。

天道大而帝王者用，爱爱恶恶，天下可秘②，爱恶重，闭必固。

釜鼓满则人概之，人满则天概之，故先王不满也。

先王之书，心之敬执③也，而众人不知也。故有事，事④也，毋事，亦事也。吾畏事不欲为事，吾畏言不欲为言，故行年六十而老吃⑤也。

【注释】

①不满：不满足他们。

②秘：掌握。

③执：爱。

④事：读先王之书。

⑤老吃：年老口吃。

【译文】

一般人的心理活动是，喜爱往往是憎恶的开始，恩德往往是怨恨的开始。他们侍奉父母，但有了妻子和孩子后孝心就减少了；他们侍奉国君，但有了产业、家室富足后，德行就减少了；取得高爵位和高俸禄满足后，忠心就减少了。只有少数贤人不是这样。所以先王总是不过度满足他们。君主执行那些有悖于常情的政策，人臣反而会顺着常情做事。

先王重视荣辱，荣辱决定于他们的所作所为。天地之间没有私爱和私恨，实际做善事者的人有福，实际作恶的人有祸，祸福都在于他们的所作所为。故先王重视实际行动。行赏要公开，才能节约费用；处刑要公开，才能减少刑杀。赏罚公开是君主德政的最高体现，所以先王重视为政公开。

天道博大但帝王能好好运用，爱天下之所爱，恶天下之所恶，于是就可以控制天下，控制起来也必然牢固。

釜鼓满了，我们就要推平它；人满了，上天就会推平他。因此重视德行的先王不会自满。

先王的书，我内心是敬爱的，但普通人并不了解它。有事的时候，我要敬读它；无事的时候，我也要敬读它。我怕事，所以不喜欢做事；我也怕讲话，所以不喜欢发言，正因为这样我都六十岁还口吃。

八观

【题解】

八观，就是从八个方面来考察一个国家的盛衰，国家的存在状态也因此有八种不同的表现。八个方面分别是饥饱、贫富、侈俭、虚实、治乱、强弱、兴灭、存亡。本篇认为，只要对一个国家进行考察，就能确定它是属于哪一种。文中对各个方面都做了详尽的解释。本篇选择了其中的七个方面进行注释。

【原文】

大城不可以不完①，郭周不可以外通，里域不可以横通，闾闬②不可以毋阖，宫垣③关闭不可以不修。故大城不完，则乱贼之人谋；郭周外通，则奸遁逾越者作；里域横通，则攘夺窃盗者不止；闾闬无阖，外内交通，则男女无别；宫垣不备，关闭不固，虽有良货，不能守也。故形势不得为非，则奸邪之人悫愿④；禁罚威严，则简慢之人整齐；宪令著明，则蛮夷之人不敢犯；赏庆信必，则有功者劝；教训习俗者众，则君民化变而不自知也。是故明君在上位，刑省罚寡，非可刑而不刑，非可罪而不罪也；明君者，闭其门，塞其途，弇⑤其迹，使民毋由接于淫非之地，是以民之道正行善也若性然。故罪罚寡而民以治矣。

【注释】

①完：坚固。

②闾闬（lú hàn）：里巷的门。

③宫垣：房舍的围墙。

④悫（què）愿：质朴诚实。

⑤弇（yǎn）：遮蔽。

【译文】

内城的城墙不能不坚固完整，外城的四周不能有缺口，里巷的边界不能左右横通，闾门不能不关闭，墙与门不能不注意整修。因为，内城不坚固，作乱的人就会意图不轨；外城有缺口，越境的人就可以大行其事；里巷的边界左右横通，盗窃之人就会增加；闾门不关闭，内外就能随意交往，男女之间就会没有界限；院墙不整，门栓不牢，就算有宝贵的财货也难以保管。所以，环境让人们无法为非作歹，邪恶的人才能自觉守法；禁律与刑罚严格，轻视法纪的人才能规矩；法令严明，蛮夷之人就不敢贸然来犯；奖赏有理有据，有功者就会得到鼓励；受教育、守规矩的人多了，百姓才能潜移默化被感染。因此，英明的君主执政，刑罚很少，不是因为该用刑的不用，该治罪的不治；而是因为英明君主关闭了犯罪的门户，断绝了犯罪的道路，消灭了犯罪的现象，让百姓无法接触到犯错的环境，所以百姓能走正道、做好事，就好像出自天性。这样，不用很多的刑罚，百姓也照样安定。

【原文】

行其田野，视其耕芸，计其农事，而饥饱之国可以知也。其耕之不深，芸之不谨，地宜不任，草田多秽，耕者不必肥，荒者不必硗[1]，以人猥计[2]其野，草田多而辟田少者，虽不水旱，饥国之野也。若是而民寡，则不足以守其地。若是而民众，则国贫民饥。以此遇水旱，则众散而不收。彼民不足以守者，其城不固。民饥者，不可以使战。众散而不收，则国为丘墟。故曰：有地君国而不务耕芸，寄生之君也。故曰：行其田野，视其耕芸，计其农事，而饥饱之国可知也。

【注释】

①硗（qiāo）：土地坚硬不肥沃。

②猥计：计算。

【译文】

巡视一个国家的田野，观察它的耕耘状况，计算它的农业生产，饥饱之国，就可以分辨出来了。耕作不精深，锄草不仔细，宜种的土地没有充分利用，未开的土地一片荒芜，已经耕种的土地不一定肥沃，荒芜的土地不一定贫瘠。按照人口计算土地数量，荒地多而耕地少，这样就算没有水旱天灾，也是一个饥国的田野。这样的国家，如果人口少，就不能保卫国土；如果人口多，就会国贫民饥。要是再遇上水旱灾害，老百姓就将逃离国家而不肯回来。百姓没有力量保卫国土，城防就会不巩固。百姓吃不饱，就不能参加战争。百姓逃离而不回，国家就将变成一片废墟。所以，拥有土地治理国家却不重视农业生产，便是寄生的国君。因此，巡视一个国家的田野，观察它的耕耘状况，计算它的农业生产，饥饱之国，就可以分辨出来了。

【原文】

行其山泽，观其桑麻，计其六畜之产，而贫富之国可知也。夫山泽广大，则草木易多也；壤地肥饶，则桑麻易植也；荐草[①]多衍，则六畜易繁也。山泽虽广，草木毋禁；壤地虽肥，桑麻毋数[②]；荐草虽多，六畜有征，闭货之门[③]也。故曰，时货不遂，金玉虽多，谓之贫国也。故曰：行其山泽，观其桑麻，计其六畜之产，而贫富之国可知也。

【注释】

①荐草：茂盛的牧草。

②数：方法。

③闭货之门：阻挡了财货的门路。

【译文】

巡视一个国家的山林湖泽，观察它的桑麻生长情况，计算它的六畜生产，贫富之国，就可以分辨出来了。山林湖泽宽广，草木就容易生长繁多；土地富饶，桑麻就容易生长；牧草繁茂，六畜就容易养殖。如果山泽虽然宽广，却没有禁止滥伐草木；土地虽然富饶，却不得其法种植桑麻；牧草虽繁盛，饲养六畜却征收赋税；这就等于阻挡了财货的门路。所以说，日常物产不丰富足，就算有很多金玉，也只能算是贫国。因此，巡视一个国家的山林湖泽，观察它的桑麻生长情况，计算它的六畜生产，贫富之国，就可以分辨出来了。

【原文】

入国邑[①]，视宫室，观车马衣服，而侈俭之国可知也。夫国城大而田野浅狭者，其野不足以养其民；城域大而人民寡者，其民不足以守其城；宫营大而室屋寡者，其室不足以实其宫；室屋众而人徒寡者，其人不足以处其室；囷仓寡而台榭繁者，其藏不足以共其费。故曰：主上无积而宫室美，氓[②]家无积而衣服修，乘车者饰观望，步行者杂文采，本资[③]少而末用多者，侈国之俗也。国侈则用费，用费则民贫，民贫则奸智生，奸智生则邪巧作。故奸邪之所生，生于匮不足；匮不足之所生，生于侈；侈之所生，生于毋度。故曰：审度量，节衣服，俭财用，禁侈泰，为国之急也。不通于若计者，不可使用国[④]。故曰：入国邑，视宫室，观车马衣服，而侈俭之国可知也。

【注释】

①国邑：国都。

②氓：平民。

③本资：生活用品。

④用国：治国。

【译文】

走进一个国家的都城，看看它的宫廷建筑，观察它的车马衣服，侈俭之国，就可以分辨出来了。都城大而农田小，农田就不能养活那些百姓；都城大而居民少，居民就不能守卫城市；院落大而房子少，房子就不能充实那个院落；房子多而居民少，居民就不能住满那些房屋；粮仓少而亭台楼阁多，粮食贮备就不能供应那些奢靡的消费。所以说，君主没有储蓄却有华丽的宫室，百姓没有储蓄却穿着讲究的衣服，乘车的人装饰车子，走路的人穿着艳丽的衣服，生活用品稀少奢侈物品却很多，这就是奢侈国家的表现。国家奢侈就会导致浪费开支，开支浪费就会导致百姓贫穷，百姓贫穷就会产生邪恶思想，产生邪恶思想就会出现奸诈的行为。所以，邪恶和奸诈的产生，是因为贫困；贫困的产生，是因为奢侈；奢侈的产生，是因为没有制度。因此，确立制度和标准，节俭衣服，节省财用，禁止浪费奢侈，是治国的当务之急。不懂这个道理，就不能让他治理国家。所以说，走进一个国家的都城，看看它的宫室，观察它的车马衣服，侈俭之国，就可以分辨出来了。

【原文】

入州里，观习俗，听民之所以化其上，而治乱之国可知也。州里不鬲①，闾闬不设，出入毋时，早晏不禁，则攘夺窃盗，攻击残贼②之民，毋自胜矣。食谷水，巷凿井，场圃接，树木茂，宫墙毁坏，门户不闭，外内交通，则男女之别，毋自正矣。乡毋长游③，里毋士舍，时无会同④，丧烝⑤不聚，禁罚不严，则齿长⑥辑睦，毋自生矣。故昏礼不谨，则民不修廉。论贤不乡举，则士不及行。货财行于国，则法令毁于官。请谒得于上，则党与成于下。乡官毋法制，百姓群徒不从。此亡国弑君之所自生也。故曰：入州里，观习俗，听民之所以化其上者，而治乱之国可知也。

【注释】

①鬲：隔。

②贼：杀。

③长游：乡里的官吏。

④会同：聚会。

⑤烝：祭祀。

⑥齿长：长幼。

【译文】

进入一国的州和里，观察那里的风俗习惯，了解它的百姓是怎样接受上面教化的，治乱之国，就可以分辨出来了。州和里之间没有隔墙，没有设置里门，出入没有时间限制，早晚不加禁止，那么对于抢夺盗窃、凶残害人的人，就无法管制约束了。同饮一条山谷里的水，在同一个巷子里打井，场院里菜地相连，树木茂盛，院墙破烂不堪，门户并不关闭，内外相通，男女之间的界限就无法规正了。乡没有官吏，里没有学堂，集会不按时，丧葬祭祀也不相聚，禁令刑罚不严格，那尊老敬长的和睦风气，也就无从产生。所以，婚礼不严肃，百姓就不知道廉耻；选用贤才不通过乡里推荐，士人就不重视品行；贿赂财货流行于国内，法律政令就会被官吏败坏；请托办事之风于上层通行，结党营私就会在下边发展；乡官不依法办事，百姓就不会服从管理。这就是亡国弑君发生的原因。所以说：进入一国的州和里，观察那里的风俗习惯，了解它的百姓是怎样接受上面教化的，治乱之国，就可以分辨出来了。

【原文】

入朝廷，观左右[1]，本求朝之臣，论上下之所贵贱者，而强弱之国可知也。功多为上，禄赏为下，则积劳之臣不务尽力；治行为上，爵列为下，则豪杰材臣不务竭能。便辟[2]左右，不论功能而有爵禄，则百姓疾怨非上，贱爵轻禄，则上毋以劝众矣。上令轻，法制毁，则君毋以使臣，臣毋以事君矣；民倍本行而求外势，则国之情伪[3]竭在敌国矣。故曰：入朝廷，观左右，本求朝之臣，论上下之所贵贱者，而强弱之国可知也。

【注释】

①左右：君主身边的亲信。

②便辟：阿谀奉承。

③情伪：虚实。

【译文】

来到一国的朝廷，观察君主身边的亲信，研究本朝百官的情况，分析朝廷上下都重视什么和轻视什么，强弱之国，就可以分辨出来了。功劳多的，受奖赏反而在众人之下，辛苦多功的大臣就不会再尽力；做出了好的政绩，授予的官爵反而在下面，豪杰能臣就不会再尽力。君主的身边阿谀奉承的宠臣和侍从，没有什么功劳却享有爵禄，百姓自然会怨恨、非议君主，从而轻贱爵禄，君主就没有办法勉励民众。君主的政令受到轻视，法制就会被毁坏，君主就无法命令臣下，臣下也无法效忠君主；百姓背叛国家而投奔他国，敌国就能完全掌握国家的虚实。所以说，来到一国的朝廷，观察君主身边的亲信，研究本朝的百官的情况，分析朝廷上下重视什么和轻视什么，强弱之国，就可以分辨出来了。

【原文】

置法出令，临众用民，计其威严宽惠，行于其民与不行于其民，而兴灭之国可知也。法虚立而害疏远，令一布而不听者存，贱爵禄而毋功者富，然则众必轻令而上位危。故曰，良田不在战士[①]，三年而兵弱；赏罚不信，五年而破；上卖官爵，七年而亡；背人伦而禽兽行，十年而灭。战不胜，弱也；地四削，入诸侯，破也；离本国，徙都邑，亡也；有者异姓，灭也。故曰：置法出令，临众用民，计其威严宽惠，行于其民不行于其民，而兴灭之国可知也。

【注释】

①良田不在战士：不赏赐良田给战士。

【译文】

考察一个国家的法律政令的情况，了解它治理百姓的情况，评估它的刑赏宽惠政策，这些政令是否在百姓当中得到执行，国家兴亡就可以分辨出来了。法律如同虚设，只会伤害君主疏远的人；命令就算已经公布，但不听的人居然没事；君主随便封爵赐禄，没有功劳的人反而致富，那百姓一定会轻视法令，这样君主地位也就危险了。所以说，不赏给战士良田，三年就会使兵力衰弱；赏罚不真实可信，五年就会使国家破败；君主卖官爵，七年就会使国家危亡；违背伦理道德，如同禽兽，十年就会使国家覆灭。参战却不胜，是衰弱的表现；土地被剥夺，是破败的表现；百姓逃离本国，迁移国都，是危亡的表现；政权被异姓人掌握，是覆灭的表现。所以说，考察一个国家的法律政令的情况，了解它治理百姓的情况，评估它的刑赏宽惠政策，这些政令是否在百姓当中得到执行，国家兴亡就可以分辨出来了。

【原文】

计敌与[1]，量上意，察国本[2]，观民产之所有余不足，而存亡之国可知也。敌国强而与国弱，谏臣死而谀臣尊，私情行而公法毁，然则与国不恃其亲，而敌国不畏其强，豪杰不安其位，而积劳之人不怀其禄。悦商贩而不务本货，则民偷处而不事积聚。豪杰不安其位，则良臣出；积劳之人不怀其禄，则兵士不用；民偷处而不事积聚，则囷仓空虚。如是而君不为变，然则攘夺、窃盗、残贼、进取之人起矣。内者廷无良臣，兵士不用，囷仓空虚，而外有强敌之忧，则国居而自毁矣。故曰：计敌与，量上意，察国本，观民产之所有余不足，而存亡之国可知也。

故以此八者，观人主之国，而人主毋所匿其情矣。

【注释】

①敌与：敌国与盟国。

②国本：指农业。

【译文】

估量敌国和盟国的状况，了解君主的意图，考察本国农业的情况，看看百姓的财产是富裕还是缺乏，存亡之国，就可以分辨出来了。如果敌国强大而盟国弱小，直言之臣被处死而阿谀之臣却得到宠爱，私人请托之风盛行而公法被破坏，这样的国家，盟国将不再依靠它们之间的结盟关系，敌国也不会害怕它强大，才能卓绝的人将不会安心地待在他的位置上，功劳多的大臣也不再留恋他的爵禄。君主爱好商贩还不尽力发展农业，百姓就会得过且过而不努力储蓄农产品了。才能卓绝的人不安于位，良臣就会离开；劳多的大臣不留恋爵禄，兵士就会不肯效力；百姓得过且过不努力储蓄农产品，粮仓就会空虚。都这样了，君主还不肯改革，那么抢夺、盗窃、残害百姓、谋取政权的人就出来了。在国内，朝中没有贤良之臣，士兵不肯效力，粮库空虚，再加上国外有强敌侵犯的忧虑，只能坐而待亡了。因此，估量敌国和盟国的状况，了解君主的意图，考察本国农业的情况，看看百姓财产是富裕或是缺乏，存亡之国，就可以分辨出来了。

因此，从这八方面调查一个国家的情况，这个国家的君主就无法掩盖真实状况了。

法禁

【题解】

法禁，就是立法禁止的。本篇论述了君主需要维护法制的重要性，指出了依法禁止违法行为的意义。文中提出了君主应该统一立法，公正、公平、公开立法，从而使国家各个方面都得到治理。如果君主不懂得立法，臣民就会藐视公法而私自立法，更甚至扩展自己的势力范围，让国家处于危险的境地。本篇为选译。

【原文】

法制不议，则民不相私；刑杀毋赦，则民不偷①于为善；爵禄毋假②，则下不乱其上。三者藏于官则为法，施于国则成俗，其余不强而治矣。

君一③置其仪，则百官守其法；上明陈其制，则下皆会其度矣。君之置其仪也不一，则下之倍法而立私理者必多矣。是以人用其私，废上之制而道其所闻。故下与官列法，而上与君分威。国家之危必自此始矣。

昔者圣王之治其民也不然，废上之法制者，必负以耻。财厚博惠以私亲于民者，正经而自正矣。圣王既殁，受之者衰。君人而不能知立君之道，以为国本，则大臣之赘④下而射人心者必多矣。君不能审立其法以为下制，则百姓之立私理而径⑤于利者必众矣。

【注释】

①偷：苟且。

②假：给予。

③一：统一。

④赘：联络。

⑤径：邪路。

【译文】

法制不容许私下议论，百姓就不敢相互营私；刑杀不容许宽恕赦免，百姓就不敢苟且应付行善；授爵赐禄的大权不给予他人，臣下就不会作乱犯上。这三个方面掌握在官府，就是法，在全国百姓中推行，就成为习俗，不用费力做其他事情就可以安定国家了。

君主立法统一，百官就都能遵守；君主制定法令公正公开，臣民们行事就能合于法度。如果君主立法不统一，臣民违抗公法而另立私法的人就会增多。这样人人各自用其私法，废弃君主的法制而宣传自己的主张。所以，百姓与官法相抗，大臣与君主争权夺利，国家的危险必然从这里开始。

古代的圣王治理百姓就不是这样，对于那些不执行君主公法的，一定惩处让他们受辱。这样做，那些用大量钱财和施恩惠来收买人心的人，就会随着整顿公法而改正过来。现在，圣王已经不在了，后继者就此衰落。他们统治百姓却不懂得为君之道，并把这种不好的行为作为立国的根本，大臣们拉拢属下收买人心的就一定会增多。君主不能审定立法，并以此为臣民的规范，百姓中自立私理而追求私利的，也一定会增多。

【原文】

昔者圣王之治人也，不贵其人博学也，欲其人之和同①以听令也。《泰誓》曰："纣有臣亿万人，亦有亿万之心，武王有臣三千而一心。"故纣以亿万之心亡，武王以一心存。故有国之君，苟不能同人心，一国威，齐士义，通上之治以为下法，则虽有广地众民，犹不能以为安也。君失其道，则大臣比②权重以相举于国，小臣必循利以相就也。故举国士以为己党，行公道以为私惠。进则相推③于君，退则相誉于民，各便其身而忘社稷。以广其居④，聚徒威群。上以蔽君，下以索民。此皆弱君乱国之道也，故国之危也。

【注释】

①和同：协调一致。

②比：勾结。

③相推：相互推举。

④居：势力范围。

【译文】

古代的圣王在治理百姓时，并不看重他们的博学，只希望他们能与君主协调一致而听从君令。《泰誓》说："殷纣王有亿万臣民，却也有亿万条心；周武王有三千臣民，却只有一条心。"所以，纣王因亿万条心而灭亡，武王因一条心而昌盛。因此，一国之君如果不能协同人心，统一国家的权威，统一士人的意志，使君主的制定的法令贯彻到下面成为行为规范，那么就算有广阔的国土，众多的百姓，还不能认为是太平的。

君主要是统治失道，大臣们就会联合权势互相举荐，小臣们也一定为了私利而互相勾结。所以，他们举荐国中人士结为私党，利用公法谋取自己的私利；在君前，他们互相推崇，在民间，他们互相吹捧，各图自己的利益而忘掉了国家。他们逐渐扩大自己的势力范围，结聚党徒，对上蒙蔽国君，对下勒索百姓。这都是削弱君主权威破坏国家的行为，国家就很危险。

重令

【题解】

重令，就是指治国要以法令为重。本篇重点说明法令的重要作用，一开始就提出了“凡君国之重器，莫重于令”。文中强调法令的权威不可侵犯，提出了君王要严格按照法令行事，要防止近亲、权贵、财货、美色、献媚的人和可供赏玩的器物的影响，认为号令、刑法和爵禄才是治国的重要方式。

【原文】

凡君①国之重器，莫重于令。令重则君尊，君尊则国安；令轻则君卑，君卑则国危。故安国在乎尊君，尊君在乎行令，行令在乎严罚。罚严令行，则百吏皆恐；罚不严，令不行，则百吏皆喜。故明君察于治民之本，本莫要于令。故曰：亏②令者死，益令者死，不行令者死，留③令者死，不从令者死。五者死而无赦，唯令是视。故曰：令重而下恐。

【注释】

①君：统治。

②亏：减少。

③留：搁置。

【译文】

凡是君主治理国家的重要手段，没有什么比法令更加重要。法令威严君主就会有尊严，君主有尊严国家就会稳定；法令不威严君主就会卑贱，君主卑贱国家就会有危险。所以，安定国家在于维护君主的尊严，维护君主的尊严在于实行法令，实行法令在于严格实施刑罚。刑罚严格、法令行通，那么百官就会因为害怕法令尽忠职守；刑罚不严格、法令不行通，那么百官就会懈怠失职。因此，英明的君主审视管理百姓的关键，没有什么比法令更加重要。所以说：任何删减法令的人，处死；任何增添法令的人，处死；任何不执行法令的人，处死；任何压制法令的人，处死；任何不服从法令的人，处死。这五种情况都应该是死罪并不能赦免，一切都要按照法令办事。所以说：法令有威严，臣民就害怕了。

【原文】

为上者不明，令出虽自上，而论可与不可者在下。夫倍上令以为威，则行恣于己以为私，百吏奚不喜之有？且夫令出虽自上，而论可与不可者在下，是威下系于民也。威下系于民，而求上之毋危，不可得也。令出而留者无罪，则是教民不敬也；令出而不行者毋罪，行之者有罪，是皆教民不听也；令出而论可与不可者在官，是威下分也；益损者毋罪，则是教民邪途也。如此，则巧佞之人，将以此成私为交；比周[①]之人，将以此阿党取与；贪利之人，将以此收货聚财；懦弱之人，将以此阿贵事富，便辟[②]伐矜[③]之人，将以此买誉成名。故令一出，示民邪途五衢[④]，而求上之毋危，下之毋乱，不可得也。

【注释】

①比周：结党营私。

②便辟：君主身边的佞臣。

③伐矜：骄傲自大。

④衢（qú）：四通八达的道路。

【译文】

如果君主昏庸糊涂，虽然由他制定法令，但法令能否推行却要由臣子来讨论决定了。如果臣下能违背君令作威作福，为达到为个人目的而肆意妄为，百官怎么会不懈怠失职呢？况且，法令虽然由君主制定，但法令能否推行却要由百姓来讨论决定，这就是君主的权力被百姓控制了。权力被百姓控制，还希望君主的地位没有危险，这是不可能的。法令公布后，不能及时传达的人却无罪，这就会导致百姓不尊敬君主；法令公布后，不执行的人无罪，执行的人却有罪，这就会导致百姓不听从君主；法令公布后，能否推行却要由臣子来讨论决定，这就会导致君权旁落；擅自增删法令的人无罪，这就会导致百姓步入邪路。照这样下去，奸巧献媚的人，将相互勾结谋取私利；善于结党的人，将拉帮结派党同伐异；贪利的人，将收贿聚财；懦弱的人，将讨好富人贵人，以及趋奉君主身边的佞臣；骄矜自大的人，将沽名钓誉成就虚名。所以，法令一公布，就给百姓开启了五条邪路，想要君主的地位不危亡，臣下不犯上作乱，是不可能的。

【原文】

菽粟不足，末生[①]不禁，民必有饥饿之色，而工以雕文刻镂相稺[②]也，谓之逆[③]。布帛不足，衣服毋度，民必有冻寒之伤，而女以美衣锦绣綦[④]组相稺也，谓之逆。万乘藏兵之国，卒不能野战应敌，社稷必有危亡之患，而士以毋分役相稺也，谓之逆。爵人不论能，禄人不论功，则士无为行制死节，而群臣必通外请谒[5]，取权道，行事便辟，以贵富为荣华以相稺也，谓之逆。

【注释】

①末生：奢侈品的生产。

②相稺：相互夸耀。

③逆：违背法令。

④綦（qí）：编织。

⑤通外请谒：勾结外国。

【译文】

粮食不充足，不禁止奢侈品的生产，百姓必然会挨饿，而工匠们还以精雕细刻相互夸耀，这就叫作违背法令。布帛不充足，不节制做衣服，百姓必然会受冻，而女人们还以衣着华丽相互夸耀，这就叫作违背法令。拥有万辆兵车的大国，士卒不能野战应敌，国家必然会有存亡的危险，而武士们还以免服兵役相互夸耀，这就叫作违背法令。不按照才能授官，不按照功劳授禄，武士们必然会不愿执行命令、不愿为国牺牲，而大臣们还在交结外国、实行权术、趋奉君主身边的小臣，以升官发财为荣耀来互相夸耀，这也叫作违背法令。

【原文】

朝有经[1]臣，国有经俗，民有经产。何谓朝之经臣？察身能而受官，不诬于上；谨于法令以治，不阿党；竭能尽力而不尚得，犯难离患而不辞死；受禄不过其功，服位不侈其能，不以毋实虚受者，朝之经臣也。何谓国之经俗？所好恶不违于上，所贵贱不逆于令，毋上拂[2]之事，毋下比[3]

之说，毋侈泰之养，毋逾等之服，谨于乡里之行，而不逆于本朝之事者，国之经俗也。何谓民之经产？畜长[④]树艺，务时殖谷，力农垦草，禁止末事者，民之经产也。故曰：朝不贵经臣，则便辟得进。毋功虚取，奸邪得行，毋能上通。国不服经俗，则臣下不顺，而上令难行。民不务经产，则仓廪空虚，财用不足。便辟得进，毋功虚取，奸邪得行，毋能上通，则大臣不和。臣下不顺，上令难行，则应难不捷。仓廪空虚，财用不足，则国毋以固守。三者见一焉，则敌国制之矣。

【注释】

①经：正经，正直有才。

②拂：违背。

③比：勾结，偏爱。

④畜长：饲养牲畜。

【译文】

朝廷要有正经有才能的大臣，国家要有正经良好的风俗，百姓要有正经正当的产业。什么叫作朝廷的正经有才能的大臣呢？依照个人的能力接受官职，不欺瞒君主；治理国家严肃执行法令，不结党营私；办事竭尽全力，不追求个人利益，遇到国家危险，勇敢面对不怕死；按照自己的功劳接受福禄，按照自己的才能担任官职，无功不受禄，就是朝廷的正经有才能的大臣。什么叫作国家的正经良好的风俗呢？百姓的喜好和厌恶，不与君主的标准相违背；看重和轻视的事情，不与法令的规定相违背；不做违背君主意见的事，不说拉帮结派的话；没有奢侈的享受，没有越级的衣服用具；在乡里的行为有规矩，不做违背本朝政事的事，就是国家的正经良好的风俗。什么叫作百姓的正当的产业呢？繁殖牲畜，种植树木，注重农时，增加粮食产量，努力发展农业生产，开垦荒地，严禁奢侈品的生产，就是百姓的正当的产业。所以说，朝廷不重视正经有才能的大臣，就会导致阿谀奉承的小人进入官府，没有功劳的人得到官禄，歪门邪道、无能的人得到重用。国家不施行正经良好的风俗，就会导致臣下不服从，难以推行君令。百姓不注重正当的产业，就会导致仓库空虚，财用不充足。阿谀奉承的小人进入官府，没有功劳的人得到官禄，歪门邪道、无能的人得到重用，就会造成大臣之间的不和。臣下不服从，难以推行君令，在国家面对危难时，就难以获得胜利。仓库空虚，财用不足，国家就难以固守。三种情况出现其中一种，国家就要被敌国所控制。

【原文】

故国不虚重，兵不虚胜，民不虚用，令不虚行。凡国之重也，必待兵之胜也，而国乃重。凡兵之胜也，必待民之用也，而兵乃胜。凡民之用也，必待令之行也，而民乃用。凡令之行也，必待近者之胜也，而令乃行。故禁不胜于亲贵，罚不行于便辟，法禁不诛于严重，而害于疏远，庆赏不施于卑贱二三[①]，而求令之必行，不可得也。能不通于官，受禄赏不当于功，号令逆于民心，动静诡[②]于时变，有功不必赏，有罪不必诛，令焉不必行，禁焉不必止，在上位无以使下，而求民之必用，不可得也。将帅不严威，民心不专一，陈士不死制[③]，卒士不轻[④]敌，而求兵之必胜，不可得也。内守不能完，外攻不能服，野战不能制敌，侵伐不能威四邻，而求国之重，不可得也。德不加于弱小，威不信[⑤]于强大，征伐不能服天下，而求霸诸侯，不可得也。威有与两立，兵有与分争，德不能怀[⑥]远国，令不能一诸侯，而求王天下，不可得也。

【注释】

①二三：衍字，不翻译。

②诡：违背。

③制：军令。

④轻：害怕。

⑤信：延伸。

⑥怀：安抚。

【译文】

所以，国家不是随便就强大的，军队不是随便就打胜仗的，百姓不是随便就服从支配的，法令不是随便就贯彻执行的。大凡国家的强大，都离不开军队打胜仗，然后国家才能强大。大凡军队打胜仗，都离不开百姓服从支配，然后军队才能打胜仗。大凡百姓服从支配，都离不开法令贯彻执行，然后百姓才能服从支配。大凡法令的贯彻执行，都离不开让君主亲近的人先遵守，然后法令才能贯彻执行。所以，要是禁令不能让亲者和贵者服从，刑罚不能让君主身边的嬖臣服从，法律禁令不能让犯罪严重的人受到惩罚，而是只加害疏远君主的人，奖赏不肯给予出身低贱的人，这样还指望法令能够贯彻执行，是不可能的。有能力的人不能进入官府任职，受禄赏的人与他的功绩不符合，号令违背百姓的愿望，各项政策措施不符合时代的发展，有功的不果断行赏，有罪的不果断惩办，颁布政令不果断执行，下达禁令不果断制止，君主身在上位无法命令臣下，还希望百姓服从支配，是不可能的。将帅治军没有威严，军心不能统一，临阵的将士不肯为军令牺牲，士卒没有不害怕敌人的气概，还希望军队能打胜仗，是不可能的。对内守卫不能保卫领土完整，对外进攻不能取胜，战场上不能制服敌军，战斗不能威震四邻，还希望国家强大，是不可能的。恩惠不能施加给弱小的国家，威望没有取信于强大的国家，用兵不能让天下信服，还希望称霸诸侯，是不可能的。论国威，有足以和自己并立的对象；论军事，有足以和自己抗争的敌军；恩惠不能施加给远方的国家，号令不能联合众多的诸侯，还希望称王天下，是不可能的。

【原文】

地大国富，人众兵强，此霸王之本也，然而与危亡为邻矣。天道之数[①]，人心之变。天道之数，至则反，盛则衰；人心之变，有余则骄，骄则缓怠。夫骄者，骄诸侯，骄诸侯者，诸侯失于外；缓怠者，民乱于内。诸侯失于外，民乱于内，天道也。此危亡之时也。若夫地虽大，而不并兼，不攘夺；人虽众，不缓怠，不傲下；国虽富，不侈泰，不纵欲；兵虽强，不轻侮诸侯，动众用兵必为天下政理[②]，此正天下之本而霸王之主也。

【注释】

①数：自然规律。

②政理：正理，伸张正义的公理。

【译文】

土地宽阔国家富裕，人口众多兵力强盛，这自然是称霸称王的根本条件。然而，这样也离危亡很近了。天道的自然规律和人心的改变就是如此的。天道的自然规律是，事物发展到顶点就会走向反面，发展到极盛就会走向衰落；人心的改变是，富有了就会骄傲，骄傲了就会松懈。骄傲就会对各个诸侯傲慢。对各个诸侯傲慢，在外就会失去他们的帮助；而松懈又将在国内造成百姓的叛乱。在国外失去诸侯的帮助，在国内百姓叛乱，这就是天道发展的规律，也是国家危亡的时刻了。如果国土虽然广阔却不去兼并与抢夺，人口虽然众多却不松懈、怠惰，不傲视臣民，国家虽然富裕却不奢侈放纵，兵力虽然强大而不侮辱诸侯，就算是参加军事行动也是为了伸张正义的公理，这才是辅正天下的根本，是成就霸王之业的君主。

【原文】

凡先王治国之器三，攻而毁之者六。明王能胜其攻，故不益于三者，而自有国正天下。乱王不能胜其攻，故亦不损于三者，而自有天下而亡。三器者何也？曰：号令也，斧钺[①]也，禄赏也。六攻者何也？曰：亲也，贵也，货也，色也，巧佞也，玩好也。三器之用何也？曰：非号令毋以使下，非斧钺毋以威众，非禄赏毋以劝民。六攻之败何也？曰：虽不听，而可以得存者；虽犯禁，而可以得免者；虽毋功，而可以得富者。凡国有不听而可以得存者，则号令不足以使下；有犯禁而可以得免者，则斧钺不足以威众；有毋功而可以得富者，则禄赏不足以劝民。号令不足以使下，斧钺不足以威众，禄赏不足以劝民，若此则民毋为自用[②]。民毋为自用则战不胜，战不胜而守不固，守不固则敌国制之矣。然则先王将若之何？曰：不为六者变更于号令，不为六者疑错[③]于斧钺，不为六者益损于禄赏。若此则远近一心，远近一心则众寡同力，众寡同力则战可以必胜，而守可以必固。非以并兼攘夺也，以为天下政治也，此正天下之道也。

【注释】

①斧钺：兵器，这里指刑法。

②毋为自用：不为君主所用。

③错：停止。

【译文】

古代君王治理国家的方式有三个，遭遇破坏而灭亡的原因则有六个。英明的君王能克服这六个破坏原因，所以，治国的方式虽然少于三个，却能够保存国家而辅正天下。昏乱的君主无法克服这六个破坏原因，所以，治国的方式虽然多于三个，却就算统领了天下终于也会灭亡。三种治国方式是什么？它们就是：号令、刑罚和禄赏。六种破坏原因是什么？它们就是：近亲、权贵、财货、美色、献媚的人和可供赏玩的器物。三种方式有什么用途呢？回答是：没有号令无法调派臣民，没有刑罚无法让百姓服从，没有禄赏无法鼓励百姓。六个破坏原因的破坏作用有哪些呢？回答是：虽然不听从君令也能平安无事；虽然触犯禁律也能免于刑罚；虽然没有功绩也能获得财富。凡是国家有不听从君令还能平安无事的，号令就无法调派臣民；有触犯禁律还能免于刑罚的，刑罚就无法让百姓服从；无功还能获得财富的，禄赏就无法鼓励百姓。号令不能调派臣民，刑罚不能让百姓服从，禄赏无法鼓励百姓，这样，百姓就不会为君王效力了。百姓不会为君主效力，就不能取得战争的胜利；战争不能获得胜利，国防就不会坚固；国防不坚固，敌国就要来控制了。那么，古代君王是如何处理这种局面的呢？回答是：不会因为上述六方面而改变号令，不会因为上述六方面而质疑或废除刑罚，不会因为上述六方面而增加或减少禄赏。这样的话，才能做到远近的人都同心同德了；远近的人都同心同德，才能达到齐心协力了；齐心协力，才能做到作战必胜、防守必稳了。所有这些都不是为兼并土地和掠夺他国，而是为了治理天下政事，这就是辅正天下的原则。

法法

【题解】

法法，即依法治国，前面的那个法是指法的精神、手段，后面的那个法指的是法令本身。本篇论述了法令的重要作用，对立法的重要性、执法的原则等进行了详细的论述，对君主提出了一系列的具体要求，强调君主要首先遵守法令；提出了造成法令混乱和不能执行的原因。本篇是选译。

【原文】

不法法则事毋常，法不法则令不行。令而不行，则令不法也。法而不行，则修令者①不审也。审而不行，则赏罚轻也。重而不行，则赏罚不信也。信而不行，则不以身先之也。故曰：禁胜②于身，则令行于民矣。

【注释】

①修令者：制定法令的人。

②胜：约束。

【译文】

不按照法的精神来推行法令，做事就没有常规。不用法的手段推行法令，则法令不能得到有效贯彻。君主发出政令却得不到有效执行，是政令不合乎法度。有了法令却得不到有效贯彻，是因为起草法令的人不慎重周密。慎重周密了还不能得到有效贯彻，是因为赏罚太轻。赏罚重还不能得到有效贯彻，是因为赏罚没有真正施行。赏罚施行还得不到有效贯彻，是因为君主没有以身作则。所以说：君主如果能够用法令管束自己，法令就能在百姓中间有效贯彻了。

【原文】

闻贤而不举，殆[1]；闻善而不索[2]，殆；见能而不使，殆；亲人而不固，殆；同谋而离[3]，殆；危人而不能，殆；废人而复起，殆；可而不为，殆；足而不施，殆；几[4]而不密，殆。人主不周密，则正言直行之士危；正言直行之士危，则人主孤而毋内[5]；人主孤而毋内，则人臣党而成群。使人主孤而毋内，人臣党而成群者，此非人臣之罪也，人主之过也。

【注释】

①殆：危险。

②索：寻找。

③离：离心，不团结。

④几：机要的事。

⑤内：亲信。

【译文】

知道贤能的人却不选用，危险；听到有德行的事却不调查，危险；见到能干的人却不任用，危险；亲信他人却不坚定，危险；共同谋事却不团结，危险；想处罚他人却做不到，危险；已罢免官员却再次起用，危险；事可为却不为，危险；家很富裕却不施舍，危险；机要的事却不能保密，危险。君主行事不能严加周密，正言直行的人就会危险；正言直行的人危险，君主就会孤立而没有亲信；君主孤立而没有亲信，臣子就会结党营私。让君主孤立而没有亲信，臣子结党营私的，责任不在臣子，而在于君主自己的错误。

【原文】

民毋重罪，过不大也；民毋大过，上毋赦也。上赦小过，则民多重罪，积之所生也。故曰：赦出则民不敬①，惠行则过日益。惠赦加于民，而囹圄虽实，杀戮虽繁，奸不胜②矣。故曰：邪莫如蚤禁之。赦过遗善，则民不励。有过不赦，有善不遗，励民之道，于此乎用之矣。故曰：明君者，事断者也。

【注释】

①敬：戒惧。

②胜：尽。

【译文】

百姓没有重罪，是因为过失不大；百姓不犯大的过失，是因为君主不随意施行赦免。君主赦免小的过失，百姓犯的重罪就会增加，这是由小过失逐渐积累所形成的。所以说：一公布赦免的命令，百姓就不会戒惧；一推行恩惠，百姓的过失反而日益增多。对百姓实行恩惠和宽赦政策，监狱虽满，杀戮虽多，邪恶的事也不能杜绝了。所以说，应该早点禁止邪恶的事。赦免过失遗忘善行，百姓就得不到勉励；不赦免过失，不遗忘善行，勉励百姓的政策才能发挥作用。所以说：英明的君主，就是那些能掌握善恶的裁决的人。

【原文】

君有三欲于民，三欲不节，则上位危。三欲者何也？一曰求，二曰禁，三曰令。求必欲得，禁必欲止，令必欲行。求多者其得寡，禁多者其止寡，令多者其行寡。求而不得则威日损，禁而不止则刑罚侮，令而不行则下凌上。故未有能多求而多得者也，未有能多禁而多止者也，未有能多令而多行者也。故曰：上苛则下不听，下不听而强以刑罚，则为人上者众谋矣。为人上而众谋之，虽欲毋危，不可得也。

号令已出又易之，礼义已行又止之，度量已制又迁[1]之，刑法已错[2]又移之。如是，则庆赏虽重，民不劝也；杀戮虽繁，民不畏也。故曰：上无固植[3]，下有疑心，国无常经，民力必竭，数也。

【注释】

①迁：改变。

②错：施行。

③植：意志。

【译文】

君主对百姓有三种欲望，不节制这三种欲望，君主的地位就会危险。三种欲望是什么呢？一是索取，二是禁止，三是命令。索取的东西总想得到，禁止的东西总想制止，命令的东西总想实行。但索取的东西太多，所得到的反而更少；禁阻的东西太多，制止的反而更少；命令的东西太多，推行的反而更少。索取却得不到，君主的威信就会日益降低；禁阻却不能禁止，刑罚将会被轻视；命令却得不到执行，臣民就会欺君妄上。因此，从来就没有多索求就多得到，多阻止就多禁止，多下令就能多执行的。所以说：君主过于苛刻，臣民就不服从；臣民不服从却用刑罚来加以强迫，众人就会要谋算君主了。君主被众人谋算，还希望没有危险，也不可能了。

改变已经发出的号令，废止已经推行的礼仪，变换已经确定的度量，动摇已经执行的刑法，这样，就算赏赐很重，百姓也得不到勉励；就算杀戮很多，百姓也不会害怕。所以说：君主的意志不坚定，臣民就会有疑心；国家没有常法，百姓就不肯尽力。这都是必然的道理。

【原文】

明君在上位，民毋敢立私议自贵者，国毋怪严①，毋杂俗，毋异礼，士毋私议。倨傲易令，错②仪画制，作议者尽诛。故强者折，锐者挫，坚者破。引之以绳墨，绳之以诛僇③。故万民之心皆服而从上，推之而往，引之而来。彼下有立其私议自贵、分争而退者，则令自此不行矣。故曰：私议立则主道④卑矣。况夫倨傲易令，错仪画制，变易风俗，诡服殊说犹立。上不行君令，下不合于乡里，变更自为，易国之成俗者，命之曰不牧之民。不牧之民，绳之外也，绳之外诛。

使贤者食于能，斗士食于功。贤者食于能则上尊而民从，斗士食于功则卒轻患而傲敌。上尊而民从，卒轻患而傲敌，二者设于国，则天下治而主安矣。

【注释】

①怪严：怪诞。

②错：举措，设立。

③僇：杀戮。

④主道：君主治国之道。

【译文】

英明的君主处在高位，百姓就不敢私立异说而妄自尊大，国家就不会有荒诞的事情、杂乱的习俗、怪异的礼仪，也不会有士人私立异说。对于傲慢无礼、变更法令、私立法制、制造异说的都要加以处罚。所以强硬的被屈服，尖刻的受到挫折，顽固的被攻破。再用法度来引导，用杀戮来束缚，因而，百姓就会服从君主的命令，就能做到挥之即去，招之就来。如果臣民私立异说，妄自尊大，争斗而不负责任，君令自然就再也无法推行。所以说，私立异说得逞，君主的威信就会降低，更何况还有傲慢无礼、更改法令、私立法制、变革风俗、变换服装、奇谈怪论的存在呢！那种对上不执行君主的法令，对下不符合乡里的习俗，随意改变法令，改变国家的既成风俗，他们被称为不服管理的人。不服管理的人，逍遥于法之外。逍遥于法度之外的人，应该责罚他们。

让有贤才的人能靠能力谋生，武士靠战功谋生。有贤才的人靠能力谋生，君主就有尊严而且百姓顺从；武士靠战功谋生，士卒不怕危难而且蔑视敌人。君主有尊严而百姓服从，士卒不怕危难而蔑视敌人，一个国家具备了这两个条件，那天下就安定了，君主就以高枕无忧了。

【原文】

爵不尊禄不重者，不与图难犯危，以其道为未可以求之也。是故先王制轩冕所以著贵贱，不求其美；设爵禄所以守其服，不求其观也。使君子食于道，小人①食于力。君子食于道则上尊而民顺，小人食于力则财厚而养足。上尊而民顺，财厚而养足，四者备体，则胥②时而王不难矣。

【注释】

①小人：百姓。

②胥：等待。

【译文】

爵位不高，俸禄不多的人，就没有人和他共赴患难，因为他的办法还不足以让其他人得到他们想要的东西。因此，先王规定轩冕来区别贵贱等级，而不是为了追求美；设立爵禄来规定各种待遇，而不是为了追求好看。要让君子能够依靠治国之道谋生，百姓依靠出力劳动谋生。君子依靠治国之道谋生，那君主就有尊严而百姓顺从；百姓依靠出力劳动谋生，那就会财物丰厚、生活富裕。君主尊严，百姓顺从，财物丰厚，生活富裕，具备这四个条件，就不难等待时机而成就王业了。

【原文】

令未布而民或为之，而赏从之，则是上妄予也。上妄予则功臣怨，功臣怨而愚民操事于妄作，愚民操事于妄作则大乱之本也。令未布而罚及之，则是上妄诛也。上妄诛则民轻生，民轻生则暴人兴、曹[①]党起而乱贼作矣。令已布而赏不从，则是使民不劝勉，不行制，不死节。民不劝勉，不行制，不死节[②]，则战不胜而守不固。战不胜而守不固，则国不安矣。令已布而罚不及，则是教民不听。民不听则强者立，强者立则主位危矣。故曰：宪律制度必法道[③]，号令必著明，赏罚必信，此正民之经[④]也。

【注释】

①曹：群。

②死节：为国牺牲。

③法道：符合治国的原则。

④经：规范。

【译文】

法令还没有正式公布，有的百姓偶尔做到了，就加以奖赏，那是君主胡乱施行赏赐。君主胡乱施行赏赐，有功的大臣就会抱怨；有功的大臣抱怨，愚昧的百姓就会胡作非为；愚昧的百姓胡作非为，这是国家大乱的根本原因。法令还没有正式公布，就开始实行惩罚，那是君主胡乱施行惩罚。君主胡乱施行惩罚，百姓就会轻生；百姓轻生，残暴的人就会出现，拉帮结派就会兴起，乱贼就会造反了。法令已经公布，却做不到依法行赏，这就是让百姓得不到勉励，不执行法令，不为国牺牲。让百姓得不到勉励，不执行法令，不为国牺牲，那么将导致战不能胜而守不能固；战不胜而守不固，国家自然也就不安全了。法令已经公布，却做不到依法行罚，这就会让百姓不服从法令。百姓不服从法令，强势的人就会出现；强势的人出现，君主地位就危险了。所以说：法律制度一定要符合治国的原则，号令一定要严明，赏罚一定要信实，这都是治理百姓的准则。

【原文】

凡大国之君尊，小国之君卑。大国之君所以尊者，何也？曰：为之用者众也。小国之君所以卑者，何也？曰：为之用者寡也。然则为之用者众则尊，为之用者寡则卑，则人主安能不欲民之众为己用也。使民众为己用，奈何？曰：法立令行，则民之用者众矣；法不立，令不行，则民之用者寡矣。故法之所立、令之所行者多，而所废者寡，则民不诽议，民不诽议则听从矣。法之所立、令之所行与其所废者钧[1]，则国毋常经，国毋常经则民妄行矣。法之所立、令之所行者寡，而所废者多，则民不听；民不听则暴人起而奸邪作矣。

【注释】

①钧：均等。

【译文】

一般来说，大国的君主地位尊贵，小国的君主地位卑微。大国君主的地位为什么高呢？回答是：被他役使的人多。小国君主的地位为什么低呢？回答是：被他役使的人少。既然被他役使的人多地位就高，役使的人少地位就低，那么，君主又怎能不希望更多的百姓为他所役使呢？要让更多的百姓为自己所役使，该如何办？回答是：法立令行，役使的百姓就多了；法不立，令不行，役使的百姓就少了。所以，制定法律、下达命令，执行的多而废弃的少，百姓就不会有非议，百姓不非议就会服从了。制定法律、下达命令，执行的和废除的均等，国家就没有正常的准则。国家没有正常的准则，百姓就会胡作非为了。制定法律、下达命令，执行的少而废除的多，百姓就不肯服从；百姓不服从法令，残暴的人就要出现，奸邪之辈就要作乱了。

【原文】

计[①]上之所以爱民者，为用之爱之也。为爱民之故，不难毁法亏令，则是失所谓爱民矣。夫以爱民用民，则民之不用明矣。夫善用民者，杀之危之，劳之苦之，饥之渴之，用民者将致之此极也，而民毋可与虑害己者。明王在上，道法行于国，民皆舍所好而行所恶。故善用民者，轩冕不下拟[②]，而斧钺不上因[③]。如是，则贤者劝而暴人止。贤者劝而暴人止，则功名立其后矣。蹈白刃，受矢石，入水火，以听上令。上令尽行，禁尽止，引而使之，民不敢转其力。推而战之，民不敢爱其死。不敢转其力，然后有功，不敢爱其死，然后无敌。进无敌，退有功，是以三军之众皆得保其首领，父母妻子完安于内。故民未尝可与虑始，而可与乐成功。是故仁者、知者、有道者，不与人虑始。

【注释】

①计：观察。

②下拟：随意奖赏。

③上因：滥用刑法。

【译文】

考察君主爱民的原因，是为了役使他们而爱的。为了爱民，却不怕毁伤法令，削减命令，那就失去了爱民的意义。如果用爱民的方式来役使百姓，那很明显，百姓是不会服从役使的。善于役使百姓的君王，总是用杀戮、危害、劳累、饥饿、口渴等方法，用这些极端的手段，让百姓经历考验，而百姓并不认为这是在害自己。这是因为圣明的君主在上，道和法在全国通行，百姓都能舍弃个人的喜好而去做讨厌的公务。所以，善于役使百姓的君主，总是不任意折扣赏赐，不任意增加刑罚。这样，贤能的人就会得到勉励而残暴的人得到平息。贤能的人得到勉励而残暴的人得到平息，功业就将随后建立了。百姓会踏白刃，冒受矢石，赴汤蹈火地执行君令。君令得以执行，禁律得以禁止，召来百姓使用，百姓就不敢转移力量；送百姓去战争，百姓就不敢珍惜生命。不敢转移力量，就可以立功；不敢珍惜生命，就可以无敌。进攻无敌，退守有功，三军的将士就都能保全性命，他们的父母妻子也可以完好安居在国内。所以，不必同百姓商量事业的创始，但可以同他欢庆事业的成功。因此，仁者、智者、有道者，都不与百姓商量事业是如何开创的。

【原文】

凡人君之所以为君者，势也。故人君失势，则臣制之矣。势在下，则君制于臣矣。势在上，则臣制于君矣。故君臣之易位，势在下也。在臣期年[①]，臣虽不忠，君不能夺也。在子期年，子虽不孝，父不能服[②]也。故《春秋》之记，臣有弑其君、子有弑其父者矣。故曰：堂上远于百里，堂下远于千里，门廷[③]远于万里。今步者一日，百里之情通矣，堂上有事，十日而君不闻，此所谓远于百里也。步者十日，千里之情通矣，堂下有事，一月而君不闻，此所谓远于千里也。步者百日，万里之情通矣，门廷有事，期年而君不闻，此所谓远于万里也。故请④入而不出谓之灭，出而不入谓之绝，入而不至谓之侵，出而道止谓之壅，灭绝侵壅之君者，非杜其门而守其户也，为政之有所不行也。故曰：令重于宝，社稷先于亲戚，法重于民，威权贵于爵禄。故不为重宝轻号令，不为亲戚后社稷，不为爱民枉法律，不为爵禄分威权。故曰：势非所以予人也。

【注释】

①期年：一整年。

②服：控制。

③门廷：宫廷。

④请：国情。

【译文】

君主之所以成为君主，是因为他有权势。所以，君主失掉权势，就会被臣下控制了。权势在下面，臣下控制君主；权势在上面，君主控制臣下。所以，如果出现君臣易位，是因为权势转移到了下面。大臣得到权势一整年，即使臣下不忠诚，君主也不能夺回他的权势；儿子得势一整年，即使孩子不孝顺，父亲也不能将他控制。所以《春秋》记载，有臣下弑杀君主的，有儿子杀害父亲的。所以说：朝堂上能够比百里还远，朝堂下能够比千里还远，宫廷能够比万里还远。现在，走路一天，就能知道一百里地之内的情况，朝堂上有事，君主过了十天还不知道，就叫作比一百里还远；走路十天，就能知道一千里地的情况，朝堂下有事，君主过了一月还不知道，就叫比一千里还远；走路百天，就能知道一万里地的情况，宫廷有事，君主过了一年还不知道，就叫作比一万里还远。所以，情况通报上去却没有答复，叫作灭；情况下达却不能执行，叫作绝；情况上报却不能达到君主那里，叫作侵；情况下达却中途停止，叫作壅。有了灭、绝、侵、壅问题的国君，并不是有人杜绝或封守了他的门户，而是法令不能推进的原因。所以说：法令比宝物更加重要，政权比至亲更加优先，法度比百姓更加重要，威权比爵禄更加重要。因此，不能因为珍贵的宝物而轻视法令，不能因为至亲而把国家政权放在后面，不能因为爱民就歪曲法律，不能因为爵禄而分散权威。所以说：不能将权势给予他人。

【原文】

规矩者，方圜[①]之正也。虽有巧目利手，不如拙规矩之正方圜也。故巧者能生规矩，不能废规矩而正方圜。虽圣人能生法，不能废法而治国。故虽有明智高行，倍法而治，是废规矩而正方圜也。

【注释】

①圜：圆。

【译文】

圆规和矩尺，是用来矫正方圆的。就算有巧目利手，也无法像粗笨的规矩那样矫正方圆。所以，灵巧的匠人能够制造规矩，但不能离开规矩而正方圆。圣人能够制定法度，但不能废弃法度而治理国家。所以，即使有聪明智慧、高尚品德，如果违背法度治理国家，就如同离开规矩来矫正方圆一样。

【原文】

凡民从上也，不从口之所言，从情之所好者也。上好勇则民轻死，上好仁则民轻财。故上之所好，民必甚焉。是故明君知民之必以上为心也，故置法以自治，立仪以自正也。故上不行则民不从。民不服法死制，则国必乱矣。是以有道之君，行法修制，先民①服也。

【注释】

①先民：先于百姓。

【译文】

百姓追随君主，不是追随他口里说的话，而是追随他性情所喜好的东西。君主喜好勇敢则百姓不怕死，君主喜好仁义则百姓看轻财货。所以说君主有什么喜好，百姓就一定加倍爱好。由此，圣明的君主知道百姓一定是以他的行为作为标准，因此制定法令来自己约束自己，树立礼仪来自己矫正自己。所以，君主不以身作则，百姓就不会服从。百姓不愿服从法令，不愿为制度牺牲，国家一定混乱。所以，了解治国之道的君主，总是推行法令、修订制度，并先于百姓遵守实践。

霸言

【题解】

霸言，就是如何成就霸王之业。本篇论述了在众多诸侯国中，如何利用各国力量的消长来处理与他国的关系。提出了霸王开始，要以百姓为根本；王者之心，要方正。文章气势磅礴，可以认为是一篇规模宏大的策论。本篇是选译。

【原文】

霸王之形，象①天则②地，化人易代，创制天下，等列诸侯[3]，宾属四海，时匡天下。大国小之，曲国[4]正之，强国弱之，重国轻之，乱国并之，暴王残之，僇其罪，卑其列，维其民，然后王之。

夫丰国之谓霸，兼正之国[5]之谓王。夫王者有所独明，德共者不取也，道同者不王也。夫争天下者，以威易危暴，王之常也。君人者有道，霸王者有时。国修而邻国无道，霸王之资也。夫国之存也，邻国有焉；国之亡也，邻国有焉。邻国有事，邻敌得焉；邻国有事，邻敌亡焉。天下有事，则圣王利也。国危，则圣人知[6]矣。夫先王所以王者，资[7]邻国之举不当也。举而不当，此邻敌之所以得意也。

【注释】

①象：模仿。

②则：效法。

③等列诸侯：排列诸侯国的等次。

④曲国：有邪恶行为的国家。

⑤之国：其他诸侯国。

⑥知：智慧。

⑦资：凭借。

【译文】

霸业和王业的规模形势，模仿上天，效法大地，教化世人，改朝换代，建立天下的法制，排列诸侯国等次，使四海臣服，并利用时机匡正天下。它可以削减大国的版图，纠正有邪恶行为的国家，使强国变弱，权重之国的地位降低；它可以兼并乱国，消灭暴虐的国君，处分他的罪恶，降低他的地位，保护他的百姓，然后统治他的国家。

使本国自己富强叫作霸，兼正其他诸侯国叫作王。成就王业的人，总有其独特的高明之处。他不会去攻取德义相同的国家，也不会去统治道义一致的国家。争夺天下，凭借威力推翻暴君，这是王者的常理。统治百姓必须有道，称王称霸必须符合时机。本国政治清明而邻国混乱无序，就是成就霸业的有利条件。国家的存在与邻国关系密切，国家的败亡也与邻国关系密切。邻国有事，我们就可能有所得；邻国有事，我们也可以有所失。天下有事变，总是对圣明的君主有利；国家危亡，就能显出圣人的智慧来。先代圣王之所以能够成就王业，就是常常利用邻国的不当举措。不当的举措，是我们获利得意的原因。

【原文】

霸王之形，德义胜之，智谋胜之，兵战胜之，地形胜之，动作胜之，故王之。夫善用国者，因其大国之重，以其势小之。因强国之权，以其势弱之。因重国之形，以其势轻之。强国众，合强以攻弱，以图霸。强国少，合小以攻大，以图王。强国众，而言王势者，愚人之智也。强国少，而施霸道者，败事之谋也。夫神圣，视天下之形，知动静之时，视先后之称①，知祸福之门。强国众，先举者危，后举者利。强国少，先举者王，后举者亡。战国众，后举可以霸。战国少，先举可以王。

【注释】

①称：秩序。

【译文】

霸业和王业的形势，在德义、智谋、兵战、地形、动作上都处于优势，所以能够统治天下。善于治理国家的君主，往往会利用大国的力量，趁势缩小其他国家的领域；利用强国的权威，趁势削弱其他国家的力量；利用重国的地位，趁势降低其他国家的地位。如果强国多，就联合强国攻击弱国，以成就霸业；如果强国少，就联合小国攻击大国，以成就王业。如果强国多，还谈论统一的王业，是愚人的想法；如果强国少，还想施行称霸，是失败的谋略。神圣的君主，总是观察天下的形势，了解行动的时机；观察先后机宜，了解祸福的道路。强国多，先举事的国家危险，后举事的国家得利；强国少，先举事的国家成王，后举事的国家失败。参战的国家多，后举事的国家可以称霸；参战的国家少，先举事的国家就可以成王。

【原文】

夫轻重强弱之形，诸侯合则强，孤则弱。骥之材，而百马伐之，骥必罢[1]矣。强最一代，而天下攻之，国必弱矣。强国得之也以收小，其失之也以恃强。小国得之也以制节，其失之也以离强。夫国小大有谋，强弱有形。服近而强远，王国之形也。合小以攻大，敌国之形也。以负海[2]攻负海，中国[3]之形也。折节事强以避罪，小国无形也。自古以至今，未尝有能先作难，违时易形，以立功名者。无有常先作难，违时易形，而不败者也。

【注释】

①罢（pí）：疲劳。

②负海：蛮夷。

③中国：中原之国。

【译文】

国家轻重强弱的形势，各个诸侯国联合起来就强大，各个孤立就弱小。即使千里马的良材，用百匹马轮流与它比赛，它也一定会感到疲惫。最强大的国家，如果全天下的国家都去攻击它，也一定会衰弱下来。强大国家的正确做法是包容小国，其失误在于自恃其强。弱小国家的正确做法是低头听从强国，其失误在摆脱强国。无论国家大小，都会有自己的打算；无论国家强弱，都有自己的形势。征服近国而威胁远国，是保持王业的国家依靠的形势；联合小国攻击大国，是保持势均力敌的国家所依靠的形势；以蛮夷之国攻伐蛮夷之国，是中原国家所依靠的形势；低头听从强国以避免灾难，是小国依靠的形势。从古到今，从来没有首先发兵、违背时机、改变形势还能建立功业的；也没有经常首先发兵起事，违背时机，改变形势，还获得成功的。

参患

【题解】

参患，指的是君王无论是勇毅还是懦弱都会招来危险，只有在二者之间才能免于祸患。本篇虽然并不很长，却涵盖了四层意思。第一层论述君王太强太弱都不行，第二层论述军队对外对内不同的作用，第三层论述了军事筹备要精密，第四层论述了行兵的各种条件。

【原文】

凡人主者，猛毅[①]则伐，懦弱则杀。猛毅者何也？轻诛杀人之谓猛毅。懦弱者何也？重诛杀人之谓懦弱。此皆有失彼此。凡轻诛者杀不辜，而重诛者失有罪。故上杀不辜，则道正者不安；上失有罪，则行邪者不变。道正者不安，则才能之人去亡；行邪者不变，则群臣朋党。才能之人去亡，则宜有外难；群臣朋党，则宜有内乱。故曰猛毅者伐，懦弱者杀也。

【注释】

①猛毅：刚猛坚毅。

【译文】

凡为君主，刚猛坚毅容易招来讨伐，懦弱胆小就容易招来杀身之祸。什么叫刚猛坚毅呢？随意杀人，叫作刚猛坚毅。什么是懦弱胆小呢？姑息杀人的，叫作懦弱胆小。这两种做法各有所失。凡是随意杀人的，会杀了无辜的人；凡是姑息杀人的，会漏掉真正的罪犯。国君杀了无辜的人，正人君子的心里就会不安；漏掉真正的罪犯，干坏事的人就会不思悔改。正人君子心里不安，有才能的人就会离开；做坏事的人不思悔改，群臣就会结党营私。有才能的人离开，一定会带来外患；群臣结党，一定会带来内乱。所以说，刚猛坚毅的国君容易招来讨伐，懦弱胆小的君主容易招来杀身之祸。

【原文】

君之所以卑尊，国之所以安危者，莫要于兵。故诛暴国必以兵，禁辟民[①]必以刑。然则兵者外以诛暴，内以禁邪。故兵者，尊主安国之经也，不可废也。若夫世主则不然，外不以兵而欲诛暴，则地必亏矣；内不以刑而欲禁邪，则国必乱矣。

【注释】

①辟民：坏人。

【译文】

决定君主地位的尊卑、国家形势安危的，没有什么比军队更加重要的了。讨伐残暴的国家，一定会用军队；镇压邪恶的坏人，一定会用刑杀。因此军队的作用就是对外征伐残暴的国家，对内镇压邪恶的坏人。所以军队是尊君安国的根本，是不能废置的。现在的君主却不这样，对外不用军队而想讨伐残暴的国家，那自然会丧失国土；对内不用刑杀而想镇压邪恶坏人，国家自然会混乱。

【原文】

故凡用兵之计，三惊当一至①，三至当一军②，三军当一战。故一期之师，十年之蓄积殚③；一战之费，累代之功尽。今交刃接兵而后利之，则战之自胜者也。攻城围邑，主人易子而食之，析骸而爨④之，则攻之自拔者也。是以圣人小征而大匡⑤，不失天时，不空地利，用日维梦⑥，其数不出于计。故计必先定而兵出于竟。计未定而兵出于竟，则战之自败，攻之自毁者也。

【注释】

①三惊当一至：三次戒备相当于一次开拔。

②军：围敌。

③殚：竭尽。

④爨（cuàn）：烧火。

⑤匡：警惕。

⑥梦：晚上。

【译文】

凡用兵的计划，三次戒备相当于一次开拔，三次开拔相当于一次围敌，三次围敌相当于一次交战。所以，一年的军费，要耗掉十年的积蓄；一战的费用，要用光几代的积累。如今，等到两国交兵以后，才开始创造有利于作战的条件，那只能一开战就宣告自己失败。等到攻城围邑以后，才了解守城的人有换子吃、用骨头烧火抵抗的精神，那只能一进攻就宣告自己打败自己了。所以圣明的人即使是对小的征战也有大的警惕，争取做到不失天时和地利，白天作战晚上就做好计划。每一项办法都不会超出之前做好的计划。所以，必须先制订计划，然后才兴兵出境，没有做好计划就兴兵出境，战起来就只能是自己失败，攻起来也只能是自己被毁灭。

【原文】

得众而不得其心，则与独行者同实；兵不完利，与无操者[①]同实；甲不坚密，与俴者[②]同实；弩不可以及远，与短兵同实；射而不能中，与无矢者同实；中而不能入，与无镞[③]者同实；将徒人，与残者同实；短兵待远矢，与坐而待死者同实。故凡兵有大论，必先论其器、论其士、论其将、论其主。故曰：器滥恶不利者，以其士予人也；士不可用者，以其将予人也；将不知兵者，以其主予人也；主不积务于兵者，以其国予人也。故一器盛，往夫[④]具，而天下无战心；二器盛，惊夫[⑤]具，而天下无守城；三器盛，游夫[⑥]具，而天下无聚众。所谓无战心者，知战必不胜，故曰无战心；所谓无守城者，知城必拔，故曰无守城；所谓无聚众者，知众必散，故曰无聚众。

【注释】

①无操者：徒手的人。

②俴（jiàn）者：不穿盔甲的人。

③镞（zú）：箭头。

④往夫：勇敢出征的人。

⑤惊夫：敢于惊敌的人。

⑥游夫：游说的人。

【译文】

掌握很多的军队却不得军心，本质上和单人作战一样；兵器不完备还不锋利，本质上和不拿兵器一样；盔甲不牢固还不严实，本质上和不穿盔甲一样；弓箭射不远，本质上和短兵器一样；弓箭能射却不能中，本质上和没有箭支一样；能射中却不能穿透，本质上和没有箭头一样；带领没有经训练的人作战，本质上和自杀一样；用短兵器对抗远射的弓箭，本质上和坐着等死一样。所以，凡是用兵都要有重大的考核。也就是必须考核武器、士兵、将领以及君主。所以说，武器粗陋不精良，等于把士兵交给敌人；士兵不能用，等于把主将交给敌人；主将不懂得用兵，等于把君主交给敌人；君主不能坚持重视军事，就等于把国家交给别人。如果有一种最高水平武器被制成，再加上勇敢出征的战士，那天下各国都不会有战争的胆量；如果有两种最高水平的武器制成，再加上敢于惊敌的战士，那天下就没有能够固守的城池；如果有三种最高水平的武器制成，再加上有才辩游说的人，那天下都不可能聚集起来迎战了。所谓没有战争的胆量，就是因为知道战争也一定不能打胜，所以说不敢有胆量；所谓没有能固守的城池，就是因为知道了城池一定被攻破，所以说没有能固守的城池；所谓不可能聚集迎战，就是因为知道兵众一定会逃散，所以说没有人敢聚集迎战了。

制分

【题解】

制分，就是控制天下所要具备的条件。本篇就三个方面论述了要想控制天下，应该具备的条件，分别是对外作战必须先管理好内政；要重视安排耳目获得有用的情报，制分天下要有名分。本篇作为一篇军事论文，有理有据，提出了一些很好的建议。

【原文】

凡兵之所以先争，圣人贤士不为爱尊爵，道术知能不为爱官职，巧伎勇力不为爱重禄，聪耳明目不为爱金财。故伯夷、叔齐非于死之日而后有名也，其前行多修矣；武王非于甲子之朝①而后胜也，其前政多善矣。

【注释】

①甲子之朝：指周武王在讨伐纣王获胜的时间。

【译文】

大凡用兵先要争取办到具备的条件是：圣人贤士不贪图高位，有道术有能力的人不贪图官职，有武艺有勇力的人不贪图优厚的俸禄，到敌方侦查的人不贪图金钱和财物。因此，伯夷和叔齐并不是在饿死之后才出名的，他们之前就注重修炼品德；周武王也不是在甲子那天才取胜的，他之前就多行仁政。

【原文】

故小征，千里遍知之。筑堵之墙，十人之聚，日五间①之。大征，遍知天下，日一间之。散金财用聪明也。故善用兵者，无沟垒而有耳目。兵不呼傲②，不苟聚，不妄行，不强进。呼傲则敌人戒，苟聚则众不用，妄行则群卒困，强进则锐士挫。故凡用兵者，攻坚则韧③，乘瑕④则神。攻坚则瑕者坚，乘瑕则坚者瑕。故坚其坚者，瑕其瑕者。屠牛坦朝解九牛，而刀可以莫铁⑤，则刃游间也。故天道不行，屈不足从；人事荒乱，以十破百；器备不行，以半击倍。故军争者不行于完城池，有道者不行于无君⑥。故莫知其将至也，至而不可圉；莫知其将去也，去而不可止。敌人虽众，不能止待。

【注释】

①间：侦查。

②呼徼：高声呼喊。

③轫：挫折。

④瑕：瑕疵。

⑤莫铁：不钝。

⑥无君：君主死亡。

【译文】

因此，就算是小规模的战争，也要知道千里之内的情况。就是只隔着一个墙壁，有十个人在聚集，也要做到每天侦查五次。如果想发动大规模的战争，就要知道全天下的情况了，要做到每天侦查一次。意思就是花钱买通耳目收集情报。所以，善于用兵的人，就算是没有沟垒工事，也要有情报人员。士兵不能高声呼喊，不能轻率集合，不能随便行军，不能勉强进攻。高声呼喊，那敌人就容易知道并有所警惕；轻率集合，那士兵就不愿意效力；随便行军，那士卒就容易困顿疲乏；勉强进攻，那精兵就容易遇到挫折。所以，用兵的人，攻打坚固的就容易受到阻碍，攻打弱小的就容易收得神效。攻坚，薄弱部分也会变得坚固；攻弱，坚固部分也会变得薄弱。所以要稳住坚固部分，削弱薄弱部分。屠牛坦一天杀九头牛后他的屠刀都不会钝，就是因为刀刃在空隙中活动。因此，在天道不顺的时候，就算敌人败退也不应该追逐；在敌人内部荒乱的时候，就可以以十敌百；敌国兵器不备的时候，就可以以一击二。所以，率军的将领不会攻打坚固的城池，有道义的军队不会攻打无君的国家。如果能让人不知道他到来的时间，来了就无法抵抗；让人不知道他离去的时间，去了就不能阻止。这样敌人虽然众多，也无法阻拦和防御。

【原文】

治者所道富也，而治未必富也，必知富之事，然后能富。富者所道强也，而富未必强也，必知强之数，然后能强。强者所道胜也，而强未必胜也，必知胜之理，然后能胜。胜者所道制也，而胜未必制也，必知制之分，然后能制。是故治国有器，富国有事，强国有数，胜国有理，制天下有分。

【译文】

治理国家可以达到国富，但治理国家不一定就能达到国富，还必须要了解富国的途径，才能达到国富。国富，可以达到国强，但国富并不一定就能达到国强，还必须了解强国的措施，才能达到国强。国强可以达到胜利，但国强不一定就能达到胜利，还必须了解胜利的正理，才能达到胜利。胜利，可以达到掌握天下，但胜利不一定就能达到掌控天下，还必须了解掌控天下的纲领，才能达到掌控天下。所以，治理国家要有措施，富裕国家要有生产，强大国家要有措施，让国家胜利要有理，掌控天下则要有名分。

君臣

【题解】

君臣有上下两篇，主要讲述为君之道和为臣之道，以及君臣之间的关系问题。本文属于上篇，论述了君臣之间要分工做事，君主制定好相关法令，臣下依法办事。作为君主，要知人善用，作为臣下，要尽职办公。只有这样，百姓才能顺利得到治理，国家也才能得到巩固。

【原文】

为人君者，修官上①之道而不言其中；为人臣者，比官中之事而不言其外。君道不明，则受令者疑；权度不一，则修义者惑。民有疑惑贰豫②之心而上不能匡，则百姓之与间，犹揭表③而令之止也。是故能象其道于国家，加之于百姓，而足以饰官化下者，明君也。能上尽言于主，下致力于民，而足以修义从令者，忠臣也。上惠其道，下敦其业，上下相希④，若望参表⑤，则邪者可知也。

【注释】

①官上：管理百官。

②贰豫：犹豫。

③揭表：张贴告示。

④希：观察。

⑤参表：观察日影的标竿。

【译文】

身为君主，要注重管理百官的方法，而不要插手百官职责范围内的事情；身为人臣，要处理好职责以内的事，而不要插手职责以外的事情。君主的原则不分明，遵命办事的人就会有疑虑；权责不一致，奉公守法的人就会有困惑。如果百姓有疑惑犹豫的心理，国君还不能加以纠正，那么百姓对国君的隔阂就难化解，就像张贴告示来禁止它一样没有效果。所以，能够为国家树立为君之道，治理百姓，领导官员教化百姓的，就是明君。在上对君主言无不尽，在下为百姓尽心办事，能够严格遵守法令，就是忠臣。君主顺从君道，臣下谨遵职责，上下相互督察，就像观察日影的标竿一样，就可以分辨出来曲邪不正了。

【原文】

吏啬夫①任事，人啬夫任教。教在百姓，论在不挠②。赏在信诚，体之以君臣，其诚③也以守战。如此，则人啬夫之事究矣。吏啬夫尽有訾程事律，论法辟、衡权、斗斛、文劾，不以私论，而以事为正。如此，则吏啬夫之事究矣。人啬夫成教、吏啬夫成律之后，则虽有敦悫④忠信者不得善⑤也，而戏豫怠傲者不得败也。如此，则人君之事究矣。是故为人君者，因其业，乘其事，而稽之以度。有善者，赏之以列爵之尊、田地之厚，而民不慕也。有过者，罚之以废亡之辱、僇死之刑，而民不疾也。杀生不违，而民莫遗其亲者，此唯上有明法，而下有常事也。

【注释】

①啬夫：古代官职。

②挠：徇私枉法。

③诚：成效。

④悫（què）：诚实。

⑤善：增加。

【译文】

吏啬夫担任督察的职责，民啬夫担任教化的职责。教化就应当针对百姓推行，定罪不应当徇私枉法，行赏应当有理有据，首先在君臣身上体现，它的成效足以表现在百姓的守国和作战方面。这样，民啬夫的职责就实现了。吏啬夫全面掌握着计量的章程和办事的法令，审议刑法、权衡重量、斗解容积、文告与劾奏，都不能随意评判，必须依据事实。这样，吏啬夫的职责就实现了。民啬夫实现教化、吏啬夫制成律令之后，就算是谨慎忠信的人也不能增补，玩忽懈怠的人更不准破坏。这样，君主的职责就实现了。因此，君主要根据他们二者的职责，按照他们的努力程度，依据法度来考核他们。好成绩的，就奖赏给他尊贵的爵位和美厚的田产，百姓也不会有攀比眼馋的心理。犯过错的，就用撤职的耻辱和处死的重刑来处罚，百姓也不敢有嫉恨埋怨的情绪。奖赏与处罚都不违背法度，百姓也就没有遗弃父母的。要做到这些，只有当君上有明确的法制和臣下有固定的职责才能做到。

【原文】

天有常象，地有常形，人有常礼。一设而不更，此谓三常。兼而一之，人君之道也；分而职之，人臣之事也。君失其道，无以有其国，臣失其事，无以有其位。然则上之畜下[①]不妄，而下之事上不虚矣。上之畜下不妄，则出法制度者，明也；下之事上不虚，则循义从令者，审也。上明下审，上下同德，代相序也。君不失其威，下不旷其产，而莫相德也。是以上之人务德，而下之人守节。义礼成形于上，而善下通于民，则百姓上归亲于主，而下尽力于农矣。故曰：君明、相信、五官肃、士廉、农愚、商工愿，则上下体而外内别也；民性因，而三族[②]制也。

【注释】

①畜下：蓄养臣下。

②三族：指工、农、商三类人。

【译文】

天象有常法，地形有常态，人礼有常制，一旦设立就不会改变，这就叫作三常。团结百官且统一规划全局的，就是君主的职责；分工各管其事的，就是臣下的职责。君主违反了他的职责，就无法保有他的国家；臣下废弃了他的职责，就无法维持他的官位。君主蓄养臣下能够真诚，臣下事奉君主自然恭敬。君主真诚地对待臣下，那君主立法定制就会贤明；臣下恭敬地事奉君主，那臣子奉公行法、服从命令就会审慎。君主贤明，臣下审慎，上下一心，就相互间形成了一定的秩序。君主不失去他的威信，臣下不旷废他的事业，相互就不必感恩怀德。因此，君主讲求道德，臣下谨守本分，义礼在君主那里形成典范，美善从臣下那里贯通到百姓，这样，百姓就都向上亲近君主，致力于农事了。所以说：君主贤明，辅相诚信，五官严肃，士人正直，农民淳朴，商人与工匠谨厚，这样上下各得其所，内外有所分别；百姓生活有依靠，而农、商、工三类人都有所规划。

【原文】

夫为人君者，荫德于人者也；为人臣者，仰生于上者也。为人上者，量功而食之以足；为人臣者，受任而处之以敬。布政有均，民足于产，则国家丰矣。以劳受①禄，则民不幸生。刑罚不颇，则下无怨心。名正分明，则民不惑于道。道也者，上之所以导民也。是故道德出于君，制令传于相，事业程于官，百姓之力也，胥令②而动者也。

是故君人也者，无贵如其言；人臣也者，无爱如其力。言下力上，而臣主之道毕矣，是故主画之，相守之；相画之，官守之；官画之，民役之；则又有符节、印玺、典法、策籍以相揆[3]也。此明公道而灭奸伪之术也。

【注释】

①受：授予。

②胥令：待令。

③揆（kuí）：掌管。

【译文】

作为君主，要用德行来庇护百姓；作为臣下，要仰仗君主生存。作为君主，要考核功绩而给予臣下足够的俸禄；作为臣下，要接受任务而尽心尽责地完成。君主行政注重公平，百姓的产业能够自足，国家自然富裕。按攻绩给予俸禄，百姓就不会侥幸偷懒；刑罚不出现偏差，臣下就不会心生抱怨。名义正顺，职责分明，百姓就不会疑惑君主的治国之道。道，就是君主用来指导百姓的。所以，道与德来自君主；辅相传布法制和命令；官吏裁定各种事业；百姓就等待命令而行动。

所以，作为君主，再没有比言语更重要的了；作为人臣，再没有比才能更值得珍惜了。君主说的话能够传达给臣下，臣下的才能可以上达于君主，君臣之道就算完善了。所以，君主谋划策略，宰相遵从执行；宰相谋划策略，官吏遵从执行；官吏谋划策略，百姓出力执行；再加上用符节、印玺、典章、法律、文书和册籍加以考验管理，就能够辨明公道和消除奸伪了。

【原文】

论材、量能、谋德而举之，上之道也；专意一心，守职而不劳，下之事也。为人君者，下及官中之事，则有司不任[1]；为人臣者，上共专于上[2]，则人主失威。是故有道之君，正其德以莅民，而不言智能聪明。智能聪明者，下之职也；所以用智能聪明者，上之道也。上之人明其道，下之人守其职，上下之分不同任，而复合为一体。

【注释】

①任：负责。

②上共专于上：向上争夺君主的权力。

【译文】

选举人才，评价能力，考察德行，然后才能加以任用，这就是做君主的职责；专心一意，遵守职务而不辞劳苦，这是做臣下的职责。作为君主，如果向下干预官吏职责之内的事务，那么主管官吏就无法承担负责；做臣下的，如果向上争夺君主的权力，那么君主就会丧失威信。所以有道之君，总是端正自己的德行来领导百姓，而不是注重智能和聪明。智能和聪明，是臣下的职务要求的；如何去发挥臣下的智能和聪明，才是为君之道。君主阐明君道，臣下谨守臣职，上下的分别，在于不同的任务，而它们又是合成为一体。

【原文】

是故知善，人君也。身善，人役也。君身善，则不公矣。人君不公，常惠于赏，而不忍于刑，是国无法也。治国无法，则民朋党而下比[1]，饰巧以成其私。法制有常，则民不散而上合，竭情以纳其忠。是以不言智能，而顺事治，国患解，大臣之任也。不言于聪明，而善人举，奸伪诛，视听者众也。

【注释】

①下比：私下勾结。

【译文】

因此知人善任的是人君，亲自做事的是被人管理的人。如果君主也事必躬亲，那做不到公正了。君主不公正，就喜爱经常行赏，而不忍心使用刑罚，这样国家就难以形成法制了。治理国家却没有法制，百姓就会拉帮结派相互私下勾结，搞虚伪巧饰而去实现他的私利。如国家长久坚持执行法制，百姓就不会拉帮结派，就能向朝廷靠拢，全心全意奉献他们的忠诚。所以，君主不展现自己的智能，却能治理朝中之事，清除国家的祸患，这是因为善用大臣。君主不展现自己的聪明，却能知卜善用，诛灭奸伪之人，这是因为有很多人替国家监督。

【原文】

是以为人君者，坐①万物之原，而官诸生之职者也。选贤论材，而待之以法。举而得其人，坐而收②，其福不可胜收也。官不胜任，奔走而奉，其败事不可胜救也。而国未尝乏于胜任之士，上之明适不足以知之。是以明君审知胜任之臣者也。故曰：主道得，贤材遂，百姓治。治乱在主而已矣。

【注释】

①坐：掌握。

②收：管理好国家。

【译文】

因此为君的人，是掌握万事的原则，而给予众人职责的。选举贤能，评定人才，并按照法度来对待他们。如果举用人才合理得当，就可以坐着毫不费力管理好国家，好处是说不尽的。如果选拔的官吏不能胜任职责，就算奔走从事，他们做坏的事情，也很难挽救。国家并不缺少能够胜任官职的人才，只是君主的明察还不足以知道他们的存在。因此英明的君主总是认真查访能够胜任的人臣。所以说君道正确，那么贤才才能得到任用，百姓才能得到治理，国家治乱只取决于君主而已。

【原文】

故曰：主身者，正德之本也；官治者，耳目之制也。身立而民化，德正而官治。治官化民，其要在上。是故君子不求于民。是以上及下之事谓之矫①，下及上之事谓之胜②。为上而矫，悖也；为下而胜，逆也。国家有悖逆反迕之行，有土主民者③，失其纪也。是故别交正分之谓理，顺理而不失之谓道。道德定而民有轨矣。有道之君者，善明设法而不以私防者也。而无道之君，既已设法，则舍法而行私者也。为人上者释法而行私，则为人臣者援私以为公。公道不违，则是私道不违者也。行公道而托其私焉，寖久而不知，奸心得无积乎？奸心之积也，其大者有侵偪杀上之祸，其小者有比周内争之乱。此其所以然者，由主德不立，而国无常法也。主德不立，则妇人能食④其意；国无常法，则大臣敢侵其势。大臣假于女之能，以规⑤主情；妇人嬖宠，假于男之知，以援外权。于是乎外夫人而危太子，兵乱内作，以召外寇。此危君之征也。

【注释】

①矫：悖逆。

②胜：欺凌。

③有土主民者：有土地管理百姓的人，指君主。

④食：观察。

⑤规：窥探。

【译文】

所以说，君主自己是矫正德行的根本，管理官吏就如同耳目，是受这根本所节制的。君主立身，就能教化百姓；君主正德，就能管好官吏。管好官吏和教化百姓的关键都在于君主。所以，君主对百姓是没有要求的。因此，君主干预臣下的职务，叫违背君道；臣下干预君主的事情，叫欺凌君主。君主违背君道，就是悖谬；臣下欺凌君主，就是叛逆。如果国家有违背君道和欺凌君主的行为，那就是拥有土地管理百姓的君主丧失了纲纪。所以，区别君臣的关系，矫正君臣的职分，叫作理；顺着理而行，不犯错误，叫作道。一确立道德规范，百姓就有章可循了。有道的君主善于明确制定法制，且不用私心阻碍。但是无道的君主，就算已经确立法制，也还会抛弃法令而行私利。君主抛弃法令而行私，那么臣下就会把私心当成公道。所谓不违反公道，其实也就是不违反私道。表面上在执行公道而实际谋求私利，如果这样还长久不被发觉，他的奸邪思想又怎能不越来越大呢？奸邪的思想越来越大，那么往大了说会生出侵迫和杀害君主的祸事，往小了说也会生出相互勾结、发生内乱的祸害。之所以会发生这类事情，就是因为没有树立起君主的道德且国家没有常法。君主的道德不树立，妇女就能够观察他的主意；国家没有常法，大臣就敢于抢夺他的权势。大臣利用女人来刺探君主的意图，被恩宠的妇人利用男人的智谋来吸引外国的力量。这样下去，就会导致君主废除夫人而残害太子，内部发生战乱，也就会招来外敌。这些都是危害国君的行为。

【原文】

是故有道之君，上有五官以牧其民，则众不敢逾轨而行矣；下有五横以揆[1]其官，则有司不敢离法而使矣。朝有定度衡仪，以尊主位，衣服绎绕[2]，尽有法度，则君体[3]法而立矣。君据法而出令，有司奉命而行事，百姓顺上而成俗，著久而为常。犯俗离教者，众共奸之，则为上者佚矣。

【注释】

①揆：纠察。

②绎绕：古代皇帝及上公的礼服和礼冠。

③体：依。

【译文】

因此有道的君主，在上面设置五官来管理百姓，百姓就不敢越轨做事了；在下面设置五衡之官来纠察官吏，做事的官吏就不敢违背法制而滥用职权了。朝廷有固定的制度和礼仪，来尊奉君主的地位，君主的衣服和帽子，也都有法度规定，君主就能够依法而治理国家了。君主依据法制而发出命令，官吏奉命而处理事务，百姓顺从并成为风俗，这样时间久了就形成了常规。如果有违背习俗背叛礼教的人，百姓就会群起而加罪于他，君主自然就能安乐无事了。

【原文】

天子出令于天下，诸侯受令于天子，大夫受令于君，子受令于父母，下听其上，弟听其兄，此至顺矣。衡石一称，斗斛一量，丈尺一綧[1]制，戈兵一度，书同名[2]，车同轨，此至正也。众[3]顺独逆，众正独辟，此犹夜有求而得火也。奸伪之人，无所伏矣。此先王之所以一民心也。是故天子有善，让德于天；诸侯有善，庆[4]之于天子；大夫有善，纳之于君；民有善，本于父，庆之于长老。此道法之所从来，是治本也。是故岁一言[⑤]者，君也；时省者，相也；月稽者，官也；务四支之力，修耕农之业以待令者，庶人也。是故百姓量其力于父兄之间，听其言于君臣之义，而官论其德能而待之。大夫比官中之事，不言其外；而相为常具以给之。相总要，者官[⑥]谋士，量实议美，匡请所疑。而君发其明府之法瑞以稽之，立三阶之上，南面而受要。是以上有余日，而官胜其任；时令不淫[⑦]，而百姓肃给。唯此上有法制，下有分职也。

【注释】

①綧（zhǔn）：标准。

②名：文字。

③众：大家。

④庆：归功。

⑤一言：问事一次。

⑥者官：众官。

⑦淫：错误。

【译文】

天子向天下颁布命令，诸侯接受命令于天子那里，大夫接受命令于本国国君那里，儿子接受命令于父母那里，下级听从他的上级，弟弟听从他的兄长，这是最平常的秩序。衡石的称计是相同的，斗斛的量度是相同的，丈尺的标准是相同的，武器的规格是相同的，书写的文字是相同的，车辙的宽窄是相同的，这是最正确的规范。如果大家都顺从而只有一个人逆反，大家都正而只有一个人偏邪，这就如同在黑夜中找东西而看见火光一样，奸伪之人是无法隐藏的。这就是先王坚持统一民心的缘故。因此天子有了成就，归功德于上天；

诸侯有了成就，要归功于天子；大夫有了成就，要归功于本国国君；百姓有了成就，就应当追寻到他的父亲，并归功于长辈和老辈。这就是道和法产生的根源，也是治国的根基。因此按年度考核工作的是君主，按四时考核工作的是辅相，按月考核工作的是百官，从事劳动、专务农业、等待上面命令的是平民。所以，对于普通百姓，要在他们的父兄中间考核他们的劳动，要就君臣的大义方面来听取他们的意见，然后官吏挑选出其中有德才的人，献给君主。大夫只负责官职之内的事务，而不干涉职责以外的事情；辅相，就要制定一定的条例来给百官做依据。辅相掌握政要，百官谋士们则根据实际情况评议美善的行为，有了疑问就请教辅相。君主则在大府内调发相关的法令和珪璧美玉，作为稽考的规矩，并站在三层台阶之上，面向南接受辅相呈上的政要就可以了。这样，君主有空闲的时日，百官能够胜任他们的职务；四时的政令不发生错误，百姓尊敬地提供给君主的供应。这都是由于上有法制可依，下能各有职分的结果。

【原文】

道者，诚人之姓也，非在人也。而圣王明君，善知而道之者也。是故治民有常道，而生财有常法。道也者，万物之要也。为人君者，执要而待之，则下虽有奸伪之心，故不敢杀[1]也。夫道者虚设，其人在则通，其人亡则塞者也。非兹[2]是无以理人，非兹是无以生财。民治财育，其福归于上，是以知明君之重道法而轻其国也。故君一国者，其道君之也；王天下者，其道王之也。大王天下，小君一国，其道临之也。是以其所欲者能得诸民，其所恶者能除诸民。所欲者能得诸民，故贤材遂；所恶者能除诸民，故奸伪省。如冶之于金，陶之于埴[3]，制在工也。

【注释】

①杀：尝试。

②兹：此，这个。

③埴（zhí）：黏土。

【译文】

道，是出自人的本性，而不是由人控制的。圣王明君都擅长了解和实施它。所以，管理百姓要有日常的道，取财有日常的法。道是万物的纲领，君主要掌握这个纲领来处理事情，下面的百官就算有奸伪之心也是不敢轻易行动了。道存在于虚空，有行道的君主，道就畅通无阻；没有行道的君主，道就封闭起来。没有道就无法治理百姓，没有道就无法获得财富。管理好百姓、增加财富的结果，福利还是属于君主。这样，就可以理解为什么圣明的君主看重道和法而看轻国家了。所以，君主治理一个国家实际上就是他的为君之道在治理；帝王统治天下实际上就是他的帝王之道在统治。无论大到统治天下，还是小到治理一国，都是他们的为君之道在那里发挥作用。所以，他所想要的就能从百姓那里获得，他所讨厌的就能从百姓那里去掉。想要的能在百姓那里获得，贤能的人才就能得到任用；讨厌的能在百姓那里去掉，奸伪之徒就能被发现。就好像冶工对于金属，陶工对于黏土，想制作任何东西都是由工匠控制一样。

【原文】

是故将与之①，厚惠②不能供；将杀之，严威③不能振。严威不能振，厚惠不能供，声实有间也。有善者不留其赏，故民不私其利；有过者不宿④其罚，故民不疾其威。威罚之制，无逾于民，则人归亲于上矣。如天雨然，泽下尺，生上尺。

【注释】

①与之：给予。

②厚惠：过多的奖励。

③严威：过重的刑罚。

④宿：拖延。

【译文】

所以准备行赏，过多的奖励反而不能给予；准备处罚，过重的刑罚反而不能震慑。过重的刑罚不能震慑，过多的奖励不能给予，都是因为名义和实际情况不符合。做了好事的人，不扣留他应该得到的奖赏，百姓就不会考虑自己的利益；犯错的，不拖延对他的惩罚，百姓就不会抱怨刑罚的严厉。赏罚的规定，都不超过百姓应该得到的，百姓就会归附、亲近君主了。这如同天上下雨一样，天降下一尺的雨量，禾苗就向上生长一尺。

【原文】

是以官人不官，事人不事，独立而无稽者，人主之位也。先王之在天下也，民比之神明之德，先王善牧[①]之于民者也。夫民别而听之则愚，合而听之则圣。虽有汤武之德，复合于市人之言。是以明君顺人心，安情性，而发于众心之所聚。是以令出而不稽[②]，刑设而不用。先王善与民为一体。与民为一体则是以国守国，以民守民也，然则民不便为非矣。

【注释】

①牧：吸收。

②稽：滞留。

【译文】

所以授予人官位自己却不当官，给人职位自己却不担任事务，自己单独行动却没有人考核的，就是君主的地位。古代先王管理天下的时候，百姓就认为他的德行是神明，先王也善于吸收百姓意见。听取百姓的意见，只听取个别的，就是愚蠢；全面综合地听取，才是圣明的。尽管有商汤、周武王的德行，他们也要多方搜集众人的意见。因此，圣明的君主顺应人心，适应人性，做事都从大家共同的愿望出发。这样，发出的命令就不会滞留；刑罚设立了也用不着。圣明的先王善于同百姓融为一体。与百姓融为一体，就是用国家保卫国家，用百姓保卫百姓，百姓自然就不会去做坏事了。

【原文】

虽有明君，百步之外，听而不闻；间之堵墙，窥而不见也。而名为明君者，君善用其臣，臣善纳其忠也。信以继信，善以传善。是以四海之内，可得而治。是以明君之举其下也，尽知其短长，知其所不能益[①]，若任之以事。贤人之臣其主也，尽知短长与身力之所不至，若量能而授官。上以此畜下，下以此事上，上下交期于正，则百姓男女，皆与治焉。

【注释】

①益：才能的极限。

【译文】

尽管是明君，百步以外的距离，也不能听到；隔上一堵墙，也不能看见。但明君之所以称为明君，是因为善于利用他的臣下，而臣下则善于贡献他的忠心。诚信带来诚信，良善带来良善，因此四海之内都能治理好了。所以，明君任用臣下的时候，要完全清楚他的优点和缺点，清楚他才能的极限，才委任给他职务。贤才事奉他的君主的时候，要完全清楚自己的缺点和优点，清楚到自己力所不及的地方，才按照自己的能力来接受官职。君主以这个原则来对待臣下，臣下也以这个原则来事奉君主，上下都希望公正的原则，那么，就能治理好男女百姓了。

小称

【题解】

小称，就是指管仲列举恒公的一些小过错，希望能够督促他改正。本篇分为两个部分，前半部分主要论述了管子关于为君之道的观点，后一部分则记叙了管子对恒公提出的远离易牙等小人的忠告。

【原文】

管子曰："身不善之患，毋患人莫已知。丹青在山，民知而取之；美珠在渊，民知而取之。是以我有过为，而民毋过命①。民之观也察②矣，不可遁逃，以为不善。故我有善，则立誉我；我有过，则立毁我。当民之毁誉也，则莫归问于家矣。故先王畏民。操名从人③，无不强也；操名去人，无不弱也。虽有天子诸侯，民皆操名而去之，则捐其地而走矣，故先王畏民。在于身者孰为利？耳与目为利。圣人得利而托焉，故民重而名遂。我亦托焉，圣人托可好，我托可恶，以来美名，又可得乎？我托可恶，爱且不能为我能也。毛嫱、西施，天下之美人也，盛怨气于面，不能以为可好。我且恶面而盛怨气焉，怨气见于面，恶言出于口，去恶充以求美名，又可得乎？甚矣，百姓之恶人之有余忌也，是以长者断之，短者续之，满者洫[4]之，虚者实之。”

【注释】

①过命：错误的评价。

②察：明显。

③操名从人：拥有好的名声且服从民众。

④洫：泄掉。

【译文】

管子说：“该担忧的是自身行为不善，而不是别人不了解自己。丹青藏在深山，人们懂得它并取出来用；美珠藏在深渊，人们懂得它并取出来用。所以，我个人的行为可以有错误，民众的评价却不会有错误。民众看问题是明显的，谁也不能隐瞒他们而做错事。所以，我有优点，人们就表扬我；我有缺点，人们就批评我。对待民众的批评与表扬，不用回家去问自己的家人。所以，先王总是敬畏民众。拥有好的名声且服从民众的，国家没有不强盛的；拥有坏的名声且离弃民众的，国家没有不衰弱的。就算是天子诸侯，民众因为他的坏名声而离去，那他也只好放弃他的领地而出走了，所以先王总是敬畏民众。人身上什么东西对人最有用处？耳目最有用处。圣人了解耳目的好处而依靠它，因此能得到民众的倚重而名声远扬。我也要依靠它。但圣人用它来做好事，我却用它来做坏事，还想拥有好的名声，怎么可能呢？就算是爱我的人也不能帮我得到好的名声啊。毛嫱、西施都是天下的美人，如果她们脸上带着怨气，也不能算作美。我本身长得丑恶还满脸带着怨气，怨气表现在脸上，又口出恶言，以恶的行为还想得到美的名声，能办到吗？这实在太严重了！百姓都很讨厌有重大缺陷的人。所以，太长的要截短，太短的要加长，太满的要泄掉，空了要补充。”

【原文】

管子曰：“善罪身者，民不得罪也；不能罪身者，民罪之。故称身之过者，强也；治身之节者，惠[①]也；不以不善归人者，仁也。故明王有过则反之于身，有善则归之于民。有过而反之身则身惧，有善而归之民则民喜。往喜民，来惧身，此明王之所以治民也。今夫桀、纣不然，有善则反之于身，有过则归之于民。归之于民则民怒，反之于身则身骄。往怒民，来骄身，此其所以失身也。故明王惧声以感耳，惧气以感目。以此二者有天下矣，可毋慎乎？匠人有以感斤欘[②]，故绳可得料也；羿有以感弓矢，故彀[③]可得中也；造父有以感辔策，故遬[④]兽可及，远道可致。天下者，无常乱，无常治。不善人在则乱，善人在则治，在于既善，所以感之也。”

【注释】

①惠：智慧。

②斤欘：两种农具。

③彀（gòu）：拉满弓箭。

④遬：速。

【译文】

管子说：“善于自我批评的，百姓就不会批评他；只有不肯批评自己的，百姓才去批评。所以，承认自己的错误，是强大的表现；修养自身的节操，是智慧的表现；不把不好的事情归因于他人，是仁爱的表现。所以，明君有了过错就归因于自己，有了好事却归因于百姓。有过错归自己就懂得戒惧自身，有了好事归于百姓那百姓就高兴。扬善让百姓高兴，反思过错让自身警戒，所以明君能治理百姓。桀、纣等暴君就不是这样，有好事就归于自己，有过错就归于百姓。把过错归于百姓，百姓会怨恨；把好事归自己，自己就容易骄傲。推脱过错会激怒百姓，独占好事会骄纵自身，这就是败亡的原因。所以明君警惕恶声影响自己听闻，警惕恶气影响自己查看。这两者关系着天下得失，怎么能不慎重呢？工匠有技术使用斤斧，所以用绳墨量定木材；后羿有办法使用弓矢，所以张弓就能射中目标；造父有能力使用辔鞭，所以能追逐快速的野兽、走很远的路。天下不会长时间混乱，不会长时间安定。坏人当政天下就混乱，善人当政天下就安定。当政能够达到尽善，是因为天下人能感到他的善行。”

【原文】

管子曰：“修恭逊、敬爱、辞让、除怨、无争以相逆①也，则不失于人矣。尝试多怨、争利，相为不逊，则不得其身。大哉！恭逊敬爱之道。吉事可以入祭②，凶事可以居丧。大以理天下而不益也，小以治一人而不损也。尝试往之中国、诸夏、蛮夷之国，以及禽兽昆虫，皆待此而为治乱。泽之身则荣，去之身则辱。审③行之身毋怠，虽夷貉之民，可化而使之爱；审去之身，虽兄弟父母，可化而使之恶。故之身者，使之爱恶；名者，使之荣辱。此其变名物也，如天如地，故先王曰道。”

【注释】

①相逆：互相对待。

②祭：祭祀。

③审：努力。

【译文】

管子说："修养恭逊、敬爱、谦让、除怨、无争的德行，并互相对待，就不会丧失人心。如果行为多怨、争利，互相之间没有恭逊，那自身也保不住。恭逊敬爱的道理，真是太重要了。遇有吉事可以凭这个主持祭礼，遇有凶事可以凭这个主持居丧。从大的方面说可以治理天下而不会不够，从小的方面说可以管理一人而不会太多。推行到京都、中原、蛮夷之国甚至禽兽昆虫的世界，都可以凭它决定治乱。身上有了它就感到荣耀，身上没有它就觉得耻辱。努力执行它且不懈怠，就算是不开化的人也能相亲相爱；努力抛弃它，就算是父母兄弟也能变得相恶。所以，是否在身上实现谦恭敬爱的德行，就会得到被人爱戴或是憎恶两个结果，也会得到荣耀或者耻辱两种名声。其变化名物的作用，简直如同天地。所以，先王把这叫作道。"

【原文】

管仲有病，桓公往问之曰："仲父之病病[①]矣，若不可讳而不起此病也，仲父亦将何以诏寡人？"管仲对曰："微君之命臣也，臣故且谒之。虽然，君犹不能行也。"公曰："仲父命寡人东，寡人东；命寡人西，寡人西。仲父之命于寡人，寡人敢不从乎？"管仲摄衣冠起，对曰："臣愿君之远易牙、竖刁、堂巫、公子开方。夫易牙以调味事公，公曰：'惟烝[②]婴儿之未尝。'于是烝其首子而献之公。人情非不爱其子也，于子之不爱，将何有于公？公喜内[③]而妒，竖刁自刑而为公治内。人情非不爱其身也，于身之不爱，将何有于公？公子开方事公，十五年不归视其亲，齐卫之间，不容数日之行。人情非不爱其亲也，于亲之不爱，将何有于公？臣闻之，务为[④]不久，盖虚不长。其生不良者，其死必不终。"

桓公曰："善。"

【注释】

①病病：病情更加严重。

②烝：蒸。

③内：女色。

④务为：作假。

【译文】

管仲生病了，桓公亲自前去慰问说："仲父的病更加严重了，如果不讳言的话，此病可能好不了了，仲父有什么遗言要告诉我吗？"管仲回答说："即使您不来问我，我也要对您说的。不过，可能您不会去做了。"桓公说："仲父要我往东我就往东，要我往西我就往西。仲父对我说的话，我敢不听从吗？"管仲整整衣冠起来说："我希望您远离易牙、竖刁、堂巫和公子开方。易牙伺候您用饭，您说：'我还没有尝过蒸婴儿的味道。'于是易牙把他的长子蒸了献给您。按照人之常情，没有一个人会不爱自己儿女的。易牙连自己的儿子都不爱，能爱您吗？您喜好女色且爱忌妒，竖刁就把自己阉了而进宫为您管理后宫。按照人之常情，没有一个人会不爱自己身体的。竖刁连自己身体都不爱，能爱您吗？公子开方为了侍奉您，十五年都不回家探亲，齐国与卫国之间，只要几天行程。按照人之常情，没有一个人会不爱双亲的。公子开方连自己的双亲都不爱，能爱您吗？我听说过，作假的持久不了，掩盖虚伪也不可能长远。活着不干好事的人们，也一定不得善终。"桓公说："好。"

【原文】

管仲死，已葬。公憎四子者，废之官。逐堂巫而苛病[①]起，逐易牙而味不至，逐竖刁而宫中乱，逐公子开方而朝不治。桓公曰："嗟！圣人固有悖乎！"乃复四子者。处期年[2]，四子作难，围公一室不得出。有一妇人，遂从窦[3]入，得至公所。公曰："吾饥而欲食，渴而欲饮，不可得，其故何也？"妇人对曰："易牙、竖刁、堂巫、公子开方，四人分齐国，途十日不通矣。公子开方以书社七百下卫矣，食将不得矣。"公曰："嗟兹乎！圣人之言长乎哉！死者无知则已，若有知，吾何面目以见仲父于地下？"乃援素幭[4]以裹首而绝。死十一日，虫出于户，乃知桓公之死也。葬以杨门之扇。桓公之所以身死十一日虫出户而不收者，以不终用贤也。

【注释】

①苛病：怪病。

②期年：一年。

③窦：洞。

④幭（miè）：头巾之类。

【译文】

管仲死后，埋葬完毕，桓公憎恶这四人，因而罢免了他们的官职。但是驱逐了堂巫，却开始生怪病；驱逐了易牙，吃饭再尝不到美味；驱逐了竖刁，宫中开始混乱；驱逐了公子开方，朝政得不到治理。桓公说："啊！圣人也难免会出错吧！"于是重新起用四人。过了一年，这四人叛乱，把桓公围困在一个屋子里不让任何人出入。有一个妇女，从小洞钻了进去，来到桓公的住所。桓公说："我饿了想要吃的，渴了想要喝的，都得不到，什么原因呢？"这个妇女回答说："易牙、竖刁、堂巫、公子开方，他们四人瓜分了齐国，道路已经不通十多天了。公子开方还送给了卫国七百多社的土地和人口。吃的东西可能得不到了。"桓公说："啊，原来是这样啊！圣人的话实在是有远见啊！要是人死了没有知觉就罢了，要是有所知，到了地下我还有什么面目去见仲父呢！”于是，便拿过头巾包头而死。死后十一天，有蛆虫从门缝里爬出来，人们才发现桓公已经死了。用门板埋葬了桓公的尸体。齐桓公之所以死了十一天，有蛆虫从门缝爬出而无人收尸，就是因为最终没有任用贤能。

【原文】

桓公、管仲、鲍叔牙、宁戚四人饮，饮酣，桓公谓鲍叔牙曰：“阖不起为寡人寿乎？”鲍叔牙奉杯而起曰：“使公毋忘出①如莒时也，使管子毋忘束缚在鲁也，使宁戚毋忘饭牛②车下也。”桓公辟席再拜曰：“寡人与二大夫能无忘夫子之言，则国之社稷必不危矣。”

【注释】

①出：流亡。

②饭牛：喂牛。

【译文】

桓公、管仲、鲍叔牙、宁戚四人一起喝酒，喝到高兴时，桓公对鲍叔说：“为什么你不给我祝酒？”鲍叔牙捧起酒杯站起来说：“希望您不要忘记在莒国流亡的时候，希望管仲不要忘记在鲁国被绑的时候，希望宁戚不要忘记在车下喂牛的时候。”桓公离席再拜说：“我和两位大夫如果能不忘记您的忠告，国家就肯定没有危险。”

侈靡

【题解】

侈靡，就是奢侈，指奢靡的生活消费。本篇内容繁多，涉及政治、经济、哲学等多个方面，包括如何使用臣下，如何治理百姓，如何搞好与邻国的关系，以及阴阳、祭祀、鬼神等多方面的内容。不过，本篇最具有特色的是提出了奢侈消费的观点，肯定了消费对生产的作用，也肯定了商人对国家的作用。本篇选译的正是这部分内容。

【原文】

问曰："古之时与今之时同乎？"曰："同。""其人同乎，不同乎？"曰："不同。""可与政其诛①？""訾尧之时，混吾之美在下。其道非独出人也，山不童②而用赡，泽不弊③而养足；耕以自养，以其余应良天子，故平。牛马之牧不相及，人民之俗不相知，不出百里而求足。故卿而不理，静也。其狱一踦④腓⑤一踦屦⑥而当死。今周公断指满稽，断首满稽，断足满稽，而死民不服。非人性也，敝⑦也。地重人载，毁敝而养不足，事末作而民兴之，是以下名而上实也。圣人者，省诸本而游诸乐，大昏也，博夜也。"

【注释】

①诛：不同。

②童：砍伐光秃。

③弊：捕捞干净。

④踦：脚。

⑤腓：露出腿肚子。

⑥屦：穿草鞋。

⑦敝：极度贫困。

【译文】

桓公问道："古代的天时和现在的相同吗？"管仲回答说："相同。""那么，人事也相同吗？"回答说："不同。""为什么古代政治与现在不同呢？""早在帝喾、帝尧的时代，昆吾山的宝物就埋藏在地下却无人开采。并不是他用了高出今人的办法，只是因为那时山上的树木不用伐光就足够百姓用，河中的水产不用捞完就足够百姓吃。百姓自己耕种就可以自养，多余的再供应给天子，所以天下安定。百姓放牛牧马都不会相互遇见，也互相不知道风俗习惯，但不出百里就可以满足所有的需要，所以就算设有公卿也不需要办事，天下一片宁静。那时的刑罚，让犯罪的人一脚露出腿肚子一脚穿草鞋就可以羞辱他们，从而代替死刑。但现在的周公时代，断指、断足和断头堆满了台阶，被处死的人们还是不服从。这并不是他们不怕死，只是因为极度的贫困。土地珍重，人口增多，生活贫困而且粮食不足。直到发展了生产奢侈品的工商末业，百姓的生活才富裕起来，这是不重视虚名而注重实际的结果。圣明的君主，甚至也变得忽视农业生产的情况而发展游乐事业。"

【原文】

问曰："兴时化若何？""莫善于侈靡。贱有实，敬无用，则人可刑也。故贱粟米而敬珠玉，好礼乐而贱事业，本之始也。珠者，阴之阳也，故胜火；玉者，阳之阴也，故胜水。其化如神。故天子臧珠玉，诸侯臧金石，大夫畜狗马，百姓臧布帛。不然，则强者能守之，智者能牧之，贱所贵而贵所贱。不然，鳏寡独老[①]不与得焉。均之始也。"

【注释】

①鳏寡独老：失去亲人供养的人。

【译文】

桓公接着问道："怎样顺应时代的变化而改变政策呢？"回答说："最好的办法是发展侈靡品消费。不重视有实之物，而重视无用之物，能使百姓服从管教。这就是说，不重视粮食而重视珠玉，提倡礼乐制度而轻视生产事业，就是发展农业的开端。珠，是阴中之阳，因此胜过火；玉是阳中之阴，因此胜过水。它们的变化非常神妙。所以，天子应该贮备作为货币的珠玉，诸侯贮备金石，大夫养蓄狗马，百姓则贮备布帛。不然的话，有权势的人占有珠玉，智慧而狡猾的人操纵珠玉，市场物价就会混乱；不然的话，鳏寡独老就无法生活了。这也是平均财富的开始。"

【原文】

"请问用之若何？""必辨于天地之道，然后功名可以殖[①]。辨于地利，而民可富；通于侈靡，而士可戚[②]。君亲以好事，强以立断，仁以好任人。君寿以政年[③]，百姓不夭厉[④]，六畜遮[⑤]育，五谷遮熟，然后民力可得用。邻国之君俱不贤，然后得王。"

【注释】

①殖：立。

②戚：亲。

③寿以政年：祈祷丰年。

④厉：疾病。

⑤遮：繁多。

【译文】

桓公问："请问如何做到呢？"管仲回答说："必须清楚天地的自然规律，然后才能树立功业与名声。了解地利，就能使百姓富有；了解侈靡消费，就能团结士人。君主必须亲自治理大事，强硬明智果断，仁爱用人，再加上祈祷丰年，让百姓没有灾疫，六畜繁育，五谷丰熟，然后，就可以调动民力了。在邻国的君主都不是贤能的情况下，就可以成就王业了。"

【原文】

"民死信，诸侯死化，请问诸侯之化弊[①]？""弊也者，家[②]也。家也者，以因人之所重而行之。吾君长[③]来猎，君长虎豹之皮；功力之君，上金玉币；好战之君，上甲兵。甲兵之本，必先于田宅。今吾君战，则请行民之所重。"

【注释】

①弊：货币。

②家：稼穑。

③长：爱好。

【译文】

桓公问："百姓应当遵守诺言，各个诸侯国都保有财货，请问各国诸侯的货币是什么情况？"管仲回答说："货币，就是稼穑的形状，因为人们重视稼穑在生产生活中的作用，所以将线铸成这个样子。像您爱好打猎，百姓就重视虎豹的皮张。耗费国力的君主，重视金玉货币；好战的君主，重视盔甲兵器，而盔甲兵器的来源，首先在于田宅。现在国君您要发动战争，就要兴办百姓所重视的事情。"

【原文】

“饮食者也，侈乐者也，民之所愿也。足其所欲，赡其所愿，则能用之耳。今使衣皮而冠角，食野草，饮野水，孰能用之？伤心者不可以致功。故尝至味而，罢至乐而。雕卵然后瀹[①]之，雕悦橑[②]然后爨[③]之。丹砂之穴不塞，则商贾不处。富者靡之，贫者为之，此百姓之怠生，百振而食，非独自也，为之畜化。”

【注释】

①瀹（yuè）：煮。

②橑：柴薪。

③爨（cuàn）：烧火做饭。

【译文】

管仲说：“饮食和侈乐都是百姓的愿望。满足他们的欲求，实现他们的愿望，就可以役使他们。如果只是让他们穿兽皮，戴牛角，吃野草，喝野水，怎么能够役使呢？伤心的人是做不好事情的。所以要吃最好的饮食，听最好的音乐，把蛋雕画了之后再煮着吃，把木柴雕刻了之后再焚烧做饭。不要堵塞丹砂矿产的洞口，商贾贩运保持通畅。富人奢侈地消费，穷人劳动谋生，这样百姓才能有生计，从而振奋起来有饭吃。这不是商人或者穷人一方就能够单独做到的，为了实现这个愿望，我们要积累资产。”

【原文】

“无事而总，以待有事，而为之若何？”“积者立余日而侈，美车马而驰，多酒醴[①]而靡，千岁毋出食，此谓本事。县人有主，人此治用，然而不治，积之市，一人积之下，一人积之上，此谓利无常。百姓无宝，以利为首。一上一下，唯利所处。利然后能通，通然后成国。利静而不化，观其所出，从而移之。”

【注释】

①醴（lǐ）：甜酒。

【译文】

桓公问：“没事的时候积累财富，以备有事的时候需要，该怎样做呢？”管仲回答说：“积累财富的人应该拿出余粮奢侈消费，装饰车马尽情欢乐，多多购置酒醴尽情享用，这样就是一千年都不用外出乞讨，这样做是积累财富的关键。财物有自己的主人，百姓将收取的财物用来满足需用，如果不用这个来满足需用，就把它放在市场上积累生利。但有的人会愈积愈少，有的人会愈积愈多，这就是赢利无常。老百姓没有什么宝物，只是利看得最重，奔波劳命，唯利是图。有财利然后才能流通，有流通然后才能成立城市。如果财利停止不动而交易不通畅，就要查出原因，变换门路。”

【原文】

“众而约，实取而言让，行阴而言阳，利人之有祸，害人之无患，吾欲独有是，若何？”“是古之时，陈财之道可以行。今也利散而民察，必放之身然后行。”公曰：“谓何？”“长丧以毁其时，重送葬以起其财，一亲往，一亲来，所以合亲也。此谓众约。”问：“用之若何？”“巨瘗堷①，所以使贫民也；美垄墓，所以使文明也；巨棺椁，所以起木工也；多衣衾，所以起女工也。犹不尽，故有次浮②也，有差樊③，有瘗藏④，作此相食，然后民相利，守战之备合矣。”

【注释】

①瘗（yì）堷（yìn）：埋葬的墓穴。

②次浮：墓室外的装饰。

③差樊：墓地外树立用来表示尊卑的樊篱。

④瘗藏：殉葬品。

【译文】

桓公问：“本来自己拥有很多却给人很少，很想要别人的东西却表面推辞，行为虚伪却说话真诚，想从有灾祸的人那里获得利益，唯恐别人没有祸患，我的欲念里竟然有这些东西，怎么办呢？”管仲回答说：“这些生财的方法，在古时还能行得通。现在财利散布在天下，百姓就能发觉，一定要实行散布资财才行。”桓公又问：“这是什么意思呢？”管仲回答：“延长丧期的时间以消磨富者的时间，葬礼厚重以消耗富者的钱财，让他们亲密往来，增进和睦团结。这就是相约成风气了。”桓公又问：“具体怎么做呢？”管仲说：“挖掘庞大的墓室，让穷人有活做；装饰堂皇的墓地，让雕、画工匠有活做；制造巨大的棺椁，让木工致富；多用随葬的衣被，让女工获利。这样还不够，还有各种棺木的外饰、各种仪仗与各种殉葬物品。用这些办法让贫困的人能够维持生活，让百姓都能获利，这样国家的守战都能得以搞好了。”

【原文】

衣食之于人也，不可以一日违也，亲戚可以时去也。是故圣人万民艰处而立焉。人死则易云，生则难合也。故一为赏，再为常，三为固然。其小行之则欲也，久之则礼义。故无使下当上，必行之然后移。

【译文】

人一日不可能离开衣食，父母兄弟却终有一天会失去的。所以圣人教育百姓要在艰苦的环境中自立。人死了更容易相互亲近，活着的时候却很难相处。奖赏这件事，行一次百姓会把它看作奖赏，二次则看作是常规，三次则看成理所当然的事情。小小的奖励容易让百姓满意，时间久了就毁坏了。所以不要使下面的人把行赏当成理所当然的事情，在上者必须在行赏之后善于改变方式。

【原文】

商人于国，非用人也，不择乡而处，不择君而使，出则从利，入则不守。国之山林也，取而利之。市廛之所及，二依其本。故上侈而下靡，而君、臣、相上下相亲，则君臣之财不私藏。然则贪动肢①而得食矣。徙邑移市，亦为数一。

【注释】

①贪动肢：贫民。

【译文】

对于国家来说，商人并不是毫无用处的人。他们不挑选什么乡住宿，不挑选什么君主事奉。他们卖出货物就是为了谋取利益，买进货物也不会保守惜售。国家的山林资源，拿过来就去营利，让国家的市场税收成倍地增长。朝中上下的人都可以进行奢侈的消费，君主、臣下、宰相能够上下相亲，君臣的财产不会隐藏不动，这样贫民就有活干有饭吃了。此外，将有田邑的人迁移进入市，也可以解决问题。

治国

【题解】

治国，就是治理国家。本篇论述了发展农业对治理国家的重要作用。本篇认为，富民是治国的根本，要想富民，必须发展农业、抑制工商业，要禁止高利贷剥削百姓，处理好工、农、士、商之间的关系。文中提出的重农抑商的思想在现在看来不是很正确，但是在当时的生产条件下，具有一定的意义。

【原文】

凡治国之道，必先富民。民富则易治也，民贫则难治也。奚①以知其然也？民富则安乡重家，安乡重家则敬上畏罪，敬上畏罪则易治也。民贫则危②乡轻家，危乡轻家则敢凌③上犯禁，凌上犯禁则难治也。故治国常富，而乱国常贫。是以善为国者，必先富民，然后治之。

【注释】

①奚：如何。

②危：不安心。

③凌：欺凌。

【译文】

凡是治国的道理，一定是先让百姓富裕，百姓富裕了就容易治理，百姓贫穷了就很难治理。如何知道是这样的呢？百姓富裕就安心待在乡里且珍重家园，安心待在乡里且珍重家园就会对君上恭敬和畏惧刑罚，会对君上恭敬和畏惧刑罚就容易治理。百姓贫穷就不安心待在乡里且轻视家园，不安心待在乡里且轻视家园就敢于对抗君上和违犯法令，敢于对抗君上和违犯法令就很难治理。所以，治理得好的国家都是富裕的，混乱的国家一定是穷困的。因此，善于管理国家的君主，必须要先让百姓富裕起来，然后再治理他们。

【原文】

昔者七十九代之君[①]，法制不一，号令不同，然俱王天下者，何也？必国富而粟多也。夫富国多粟生于农，故先王贵之。凡为国之急者，必先禁末作文巧[②]；末作文巧禁，则民无所游食[③]；民无所游食则必农。民事农则田垦，田垦则粟多，粟多则国富，国富者兵强，兵强者战胜，战胜者地广。是以先王知众民、强兵、广地、富国之必生于粟也，故禁末作，止奇巧，而利农事。今为末作奇巧者，一日作而五日食，农夫终岁之作，不足以自食[④]也。然则民舍本事而事末作，舍本事而事末作，则田荒而国贫矣。

【注释】

①七十九代之君：指上古之君。

②末作文巧：制作奢侈品好玩物品的产业。

③游食：来回流动从事商业的人。

④自食：养活自己。

【译文】

古时候历代的君主，虽然他们制定的法度不一样，号令也不相同，然而都能统一天下，这是为什么呢？必定是因为国家富裕而粮食很多。国家富裕粮食很多源于农业的发展，因此先代圣王都很重视农业。凡是治国的当务之急，一定是先禁止工商业和奢侈品的制造；禁止了工商业和奢侈品的制造，百姓就不能从事这些行业而生存；百姓不能从事这些行业而生存，就只好从事农业。百姓从事农业就能开垦土地，土地开垦就能增加粮食，粮食增加就能富裕国家，国家富裕就能强大兵力，兵力强大就能在战争中取胜，战争取胜就能拓展土地了。因此，先代圣王清楚人口众多、兵力强大、国土广衰和国家富裕都一定源自粮食生产，所以都禁止工商业和奢侈品的制作而发展农业了。现今从事工商业和奢侈品制作的人们，干一天足够吃用五天的。而农民劳动一年，却不能维持自家的生活。这样，百姓就会放弃农业而从事工商业，弃农而从事工商业，那土地也就荒芜，国家自然也就贫穷了。

【原文】

凡农者月不足而岁有余者[1]也，而上征暴[2]急无时，则民倍贷[3]以给上之征矣。耕耨者有时，而泽[4]不必足，则民倍贷以取庸[5]矣。秋籴以五，春粜以束[6]，是又倍贷也。故以上之证而倍取于民者四。关市之租，府库之征粟什一，厮舆[7]之事，此四时亦当一倍贷矣。夫以一民养四主[8]，故逃徙者刑，而上不能止者，粟少而民无积也。

常山[9]之东，河汝[10]之间，蚤生而晚杀，五谷之所蕃孰也。四种[11]而五获[12]，中年[13]亩二石，一夫为粟二百石。今也仓廪虚而民无积，农夫以粥[14]子者，上无术以均之也。故先王使农士商工四民交能易作[15]，终岁之利，无道相过也。是以民作一而得均。民作一，则田垦，奸巧不生。田垦则粟多，粟多则国富，奸巧不生则民治。富而治，此王之道也。

【注释】

①月不足而岁有余者：按月算收入不足，按年算稍有结余。

②暴：突然。

③倍贷：借一还二的高利贷。

④泽：雨水。

⑤取庸：雇佣帮工。

⑥束：十。

⑦厮舆：劈柴与驾车的工作。

⑧四主：上面的四种“倍贷”。

⑨常山：嵩山。

⑩河汝：黄河与汝水。

⑪四种：四季播种。

⑫五获：五谷收获。

⑬中年：中等收成之年。

⑭粥：鬻，卖。

⑮交能易作：相互交换他们的产品。

【译文】

凡是农业，按月算收入不足，按年算稍有结余，然而，官府征税却很着急，没有固定的时间，农民只好以“借一还二”的高利贷来应付上面的征税。耕种锄草能够按照季节进行，但雨水不一定充足，农民又只好以“借一还二”的高利贷雇人来浇地。秋天商人以五的价格购买粮食，春天却以十的价格卖出粮食，这又是一项“借一还二”的高利贷。所以，把上面的征索加起来，成倍索取农民的地方就达到四项，关市的租税、府库的征收、十分之一的粮税和各种劳役，一年四季加起来，又是一项“借一还二”的高利贷了。一个农民要养四个债主，尽管统治者严加处罚外逃者，也不能制止农民外流，这是因为粮食少而农民没有积蓄。

从嵩山东麓到黄河、汝水之间，作物生长得早，成熟凋落得迟，是粮食增产的好地方。四季都能播种而收获五谷。中等收成之年的亩产是两石粮食。一个农民可以耕百亩土地收获二百石粮食。现在国家粮仓空虚，百姓没有积蓄，农民卖儿卖女，原因就是君主没有办法平衡百姓的收入。所以先代圣王总是重视让农、士、商、工四民相互交换他们的产品，让他们各自一年的收入也不会超过对方。这样，农民就得以专心从事农业而收入还能与其他行业均衡。农民专心从事农业，田野就能得到开垦，也就不会发生奸巧之事。田野开垦就能增多粮食，粮食多就能富裕国家。奸巧之事不会发生，百姓生活安定。富裕而安定，这就是成就王业的方法。

【原文】

不生粟之国亡，粟生而死[1]者霸，粟生而不死者王。粟也者，民之所归也；粟也者，财之所归也。粟也者，地之所归也。粟多则天下之物尽至矣。故舜一徙成邑，二徙成都，参[2]徙成国。舜非严刑罚重禁令，而民归之矣，去者必害，从者必利也。先王者善为民除害兴利，故天下之民归之。所谓兴利者，利农事也。所谓除害者，禁害农事也。农事胜则入粟多，入粟多则国富，国富则安乡重家，安乡重家则虽变俗易习、驱众移民，至于杀之，而民不恶也。此务粟之功也。上不利农则粟少，粟少则人贫，人贫则轻家，轻家则易去，易去则上令不能必行，上令不能必行则禁不能必止，禁不能必止则战不必胜、守不必固矣。夫令不必行，禁不必止，战不必胜，守不必固，命之曰寄生[3]之君。此由不利农少粟之害也。粟者，王之本事也，人主之大务，有人之途，治国之道也。

【注释】

①死：耗尽。

②参：三。

③寄生：不能长久的。

【译文】

不生产粮食的国家会灭亡，生产粮食却耗尽用光的国家仅能称霸，生产粮食而又吃不完用不尽的国家才能成就王业。粮食，能吸引百姓；粮食，能招来财富；粮食，也能开拓领土。粮食多了，天下的物产都跟着来了。所以，舜第一次率民迁徙发展农业建成邑，第二次率民迁徙建成都，第三次率民迁徙建成国。舜不用严刑酷罚和禁令，但百姓都跟随他。这是因为离开他一定受害，跟随他一定有利。先代圣王都善于为百姓除害兴利，所以天下的百姓才归附他。所谓兴利，就是指发展农业。所谓除害，就是指禁止有害于农业的因素。农业发展了就能增加粮食收入，粮食收入增加就能富裕国家，国家富裕就能让百姓安于乡居而爱惜家园，安乡爱家了，尽管改变了他们的风俗和习惯，驱使和调遣他们，甚至使用杀戮，百姓都不憎恶。这就是努力生产粮食的作用。人君不发展农业必然导致粮食减少，粮食减少必然导致百姓贫困，百姓贫困必然导致轻视家园，轻家必然导致容易外逃，百姓轻易外逃必然导致君令会有所不行，君令有所不行就会导致禁律做不到发而必止，禁律做不到发而必止就会导致战争失败，防守不牢固。法令有所不行，禁律做不到发而必止，出战失败，防守不牢固，这就叫作寄生的君主。这都是由于不发展农业导致缺少粮食的危害。所以粮食增产是成就王业的根本大事，是君主的重大任务，是招引百姓的途径和治国的准则。

弟子职

【题解】

弟子职，指的是弟子应该遵守的规则和纪律，就类似于今天的学生守则。本篇论述了弟子在学校从早到晚学习生活方方面面应该遵守规则，内容包括早作、受业、对客、进食、打扫、复习等，是我国古代较早出现的一篇学府规范。

【原文】

先生施教，弟子是则[①]。温恭自虚，所受是极[②]。见善从之，闻义则服。温柔孝悌，毋骄恃力。志毋虚邪，行必正直。游居有常，必就有德。颜色整齐，中心必式[③]。夙兴夜寐，衣带必饰。朝益暮习，小心翼翼。一此不解，是谓学则。

少者之事，夜寐蚤作，既拚[④]盥漱，执事有恪。摄衣共盥，先生乃作。沃盥彻盥，汎拚正席，先生乃坐。出入恭敬，如见宾客。危坐乡师，颜色毋作[⑤]。

受业之纪，必由长始。一周则然，其余则否。始诵必作，其次则已。凡言与行，思中以为纪。古之将兴者，必由此始。后至就席，狭坐则起。若有宾客，弟子骏[⑥]作。对客无让，应且遂行，趋进受命。所求虽不在，必以反命。反坐复业，若有所疑，捧手问之。师出皆起。

【注释】

①则：效法。

②极：学习彻底。

③式：规范。

④拚：打扫。

⑤作：改变脸色。

⑥骏：迅速。

【译文】

先生实施教导，弟子效法学习。谦恭虚心，所学才能彻底。看见善就跟着去做，看见义就去实行。温柔孝悌，不自恃勇力而骄蛮。心志不能虚邪，行为必要端正。外出居家都要遵守常规，一定要多接近有德的人。容色保持整齐，内心必须遵守规范。早起晚睡，衣服佩带必须整齐。早上学习晚上复习，要小心翼翼。专心遵守这些不懈怠，这是学习的规则。

少年学子的本分，是晚睡早起。起床清扫后洗手漱口，做事要恭敬谨慎。轻提衣襟为先生摆好洗漱用具，先生正好起床。服侍先生洗完后撤下盥器，洒扫室屋摆好讲席，先生便入坐讲席。出入要保持恭敬，如同会见宾客。面向老师端坐，不随便改变容色。

接受先生授课的顺序，一定要从年龄大的同学开始。第一遍按照这样的顺序进行，以后就不必这样了。第一次诵读必须站起来，以后就不需要这样。一切言语和行动，都要牢记以中和之道为准则。古代那些将要成就大事的人，一定是从这里开始的。后到的同学入席就座，在旁边坐的同学要及时站起来。如果有宾客到来，弟子要快速起立。对客人不能失去礼节，一边应答一边走路，快步走向先生请示。就算来宾要找的人不在，也一定回来告知先生。之后再回座位继续学习。学习中遇到疑难问题，要举手向先生提出。先生下课离开，学生都要起立。

【原文】

至于食时，先生将食，弟子馔馈[①]。摄衽盥漱，跪坐而馈。置酱错食，陈膳毋悖。凡置彼食，鸟兽鱼鳖，必先菜羹。羹胾[②]中别，胾在酱前，其设要方。饭是为卒，左酒右酱。告具而退，奉手而立。三饭二斗，左执虚豆[③]，右执挟匕，周还而贰，唯嗛[④]之视。同嗛以齿，周则有始，柄尺不跪，是谓贰纪。先生已食，弟子乃彻。趋走进漱，拚前敛祭。先生有命，弟子乃食。以齿相要，坐必尽席。饭必奉擥[⑤]，羹不以手。亦有据膝，毋有隐肘。既食乃饱，循咡[⑥]覆手，振衽扫席。已食者作，抠衣而降。旋而乡席，各彻其馈。如于宾客，既彻并器，乃还而立。

【注释】

①馔（zhuàn）馈：进呈食饭。

②胾（zì）：大块的肉。

③虚豆：盛饭的餐具。

④嗛（qiàn）：把饭菜吃干净。

⑤奉擥：用手捧着。

⑥咡（èr）：口边。

【译文】

到了用饭的时候，先生准备吃饭，弟子把饭菜安排好送上。弟子挽起衣袖洗漱后，跪坐把饭菜献上。摆放酱和食物，饭桌的摆放不能乱。一般的上菜程序是：鸟兽鱼鳖等肉食之前，一定要先上蔬菜和羹汤。汤和肉要交叉排列，肉放在酱前，摆成正方形状。最后才上饭，左边放酒，右边放漱口用浆。饭菜摆放整齐后就要退下，拱手站在一旁。一般是三碗饭和两斗酒，弟子左手拿空碗，右手拿筷勺，轮流添上酒饭，注意那些快将碗吃空的尊长。如果多人吃空碗就按照年龄先后盛饭。周而复始，用长勺就不需要跪着送上，这都是添饭的规矩。等先生吃完饭，弟子便撤下食具。快速为先生送来漱器，然后清扫席前并收好祭品。先生应许之后，弟子才能开始吃饭。按照年龄长幼坐好，一定要尽量靠席前。吃饭必须用手捧着，羹汤就不能用手拿拣。可以两手放在膝头，不能把两肘放在桌面。等到吃饱后，用手擦净嘴边。抖动衣襟移开坐垫，吃完就起来，提衣而离开桌面。但立刻又需回到席前，各自撤下器具，就像给宾客撤席一般。撤席后收起食器，弟子就回去垂手站立在先生面前。

【原文】

凡拚之道，实水于盘。攘①臂袂及肘，堂上则播洒，室中握手。执箕膺揲②，厥中有帚。入户而立，其仪不忒③，执帚下箕，倚于户侧。凡拚之纪，必由奥④始。俯仰磬折，拚毋有彻。拚前而退，聚于户内。坐板排之，以叶适己，实帚于箕。先生若作，乃兴而辞。坐执而立，遂出弃之。既拚反立，是协是稽⑤。

暮食复礼。昏将举火，执烛隅坐。错总之法，横于坐所。栉⑥之远近，乃承厥火，居句如矩。蒸间容蒸，然者处下，奉碗以为绪。右手执烛，左手正栉。有堕⑦代烛，交坐毋倍⑧尊者。乃取厥栉，遂出是去。

先生将息，弟子皆起。敬奉枕席，问所何趾。俶衽⑨则请，有常则否。

先生既息，各就其友。相切相磋，各长其仪。

周则复始，是谓弟子之纪。

【注释】

①攘：挽起。

②揲（yè）：簸箕的舌。

③忒：差错。

④奥：室内的西南角。

⑤是协是稽：这样才符合打扫的规矩。

⑥栉（zhì）：火炬燃烧剩下的部分。

⑦堕：疲倦。

⑧倍：背对。

⑨俶衽：第一次为先生铺床。

【译文】

一般洒扫的做法，把清水盛入盆中，把袖子挽到肘部，厅堂上可以扬手洒水，内室就只能掬手近泼。手拿畚箕使畚箕的舌对着自己，畚箕中放进扫帚。进屋后要先站立一会儿，仪止不能出差错。拿起扫帚的同时放下畚箕，一般将它靠在门侧。凡是洒扫的地方，必须从西南的角落开始。扫除时俯仰躬身像磬一样弯曲，不要碰动屋子里的其他东西。从前往后退着打扫，最后把垃圾集中在门里。蹲下来用木板排进垃圾，使箕舌对着自己，并把扫帚放进畚箕。如果先生这个时候出来做事，就要暂停打扫。蹲下取箕帚站在一边，然后出门倒掉垃圾。洒扫完后返回站立，这样才符合规矩。

晚饭重复礼仪。到黄昏时准备点燃火炬，弟子手持火炬坐在屋的一角。安放柴束的方法，是横放在坐的地方。要看着火炬燃剩下的长短，接续其他的火炬，接续火炬时要形成直角，柴束之间要留下一定的空隙，燃烧的灰烬落下，要用碗来接住余灰。右手拿着火炬，左手修整燃尽的柴束。一个人疲倦了，另一人及时接替，交替的时候不可以背对着老师。然后收拾余灰，出门倾倒干净。

先生要休息了，弟子都要站起来服侍。恭敬地送去枕席，问老师脚伸向哪个方向。第一次为老师铺床的时候要问清楚，以后就不用再问了。

先生已经休息，弟子还要会同同学继续学习。互相切磋，各自加深理解自己所学的义理。

以上要一遍又一遍地坚持下去，这就是弟子的规矩。

轻重甲

【题解】

轻重，讲述的是轻重之术，分为甲、乙、丙、丁、戊、己等篇，除了丙篇和庚篇没有存世外，其他诸篇都流传了下来，是专门论述轻重之术和轻重问题的文章。本篇为甲篇，从各个角度讲述了轻重之术的具体运用，包含运用轻重之术来汇集天下之财，商汤得天下是如何运用轻重之术，如何救济阵亡将士的家属等。

【原文】

桓公曰："轻重有数乎？"管子对曰："轻重无数。物发而应之，闻声而乘之。故为国不能来天下之财，致天下之民，则国不可成。"桓公曰："何谓来天下之财？"管子对曰："昔者桀之时，女乐三万人，端噪①晨乐，闻于三衢，是无不服文绣衣裳者。伊尹以薄之游女工文绣纂组，一纯得粟百钟于桀之国。夫桀之国者，天子之国也。桀无天下忧，饰妇女钟鼓之乐，故伊尹得其粟而夺之流。此之谓来天下之财。"桓公曰："何谓致天下之民？"管子对曰："请使州有一掌，里有积五窌②。民无以与正籍者予之长假，死而不葬者予之长度。饥者得食，寒者得衣，死者得葬，不资者得振③，则天下之归我者若流水。此之谓致天下之民。故圣人善用非其有，使非其人，动言摇辞，万民可得而亲。"桓公曰："善。"

【注释】

①端噪：鼓乐的声音响彻端门。

②窌（jiào）：收藏东西的地洞。

③振：赈济。

【译文】

桓公说："掌握轻重之术有方法吗？"管仲回答说："掌握轻重之术没有方法。事情刚开始萌发就要做出反应，听到消息就要有所利用。所以，治理国家却不能聚集天下的财富，不能招引天下的百姓，那么就不能成立国家。"桓公说："怎么样聚集天下的财富呢？"管仲回答说："从前夏桀那个时代，女乐有三万人，鼓乐的声音响彻端门，在各条大路上都能听到，她们都穿着华丽的衣服。伊尹就组织一些无事可做的妇女从事刺绣，织出各种华美的丝绸。一匹织物能够从夏桀那里换来一百钟的粮食。夏国虽然是天子之国，但夏桀不肯忧劳天下大事，只愿意追求女乐享受，所以伊尹便获取了他的粮食并控制了市场商品流通。这就叫作聚集天下的财富。"桓公说："怎么做才能招引天下的百姓呢？"管仲回答说："请在每个州设一个主管的官吏，在每个州里储藏五窖粮食。长期借贷给那些纳不起税的穷苦人家，安排安葬费用给那种无力埋葬死者的穷苦人家。如果能够做到饿的人有吃的，冷的人有穿的，死了的人能够得到安葬，贫穷的人能够得到救济，那么，天下的百姓都会像流水一样归附我们。这就是招引天下的百姓。所以。圣明君主善于依靠不属于自己的财富，善于使用不被自己管辖的百姓，只要发出号召，就能使万民亲近。"桓公说："好。"

【原文】

桓公问管子曰："夫汤以七十里之薄，兼桀之天下，其故何也？"管子对曰："桀者，冬不为杠①，夏不束柎②，以观冻溺。弛牝③虎充市，以观其惊骇。至汤而不然。夷疏④而积粟，饥者食之，寒者衣之，不资者振之，天下归汤若流水。此桀之所以失其天下也。”桓公曰：“桀使汤得为是，其故何也？”管子曰：“女华者，桀之所爱也，汤事之以千金；曲逆者，桀之所善也，汤事之以千金。内则有女华之阴，外则有曲逆之阳，阴阳之议合，而得成其天子。此汤之阴谋也。”

【注释】

①杠：架桥。

②柎：木筏。

③牝：雌。

④夷疏：收取蔬菜。

【译文】

桓公问管仲说：“商汤只用了七十里的薄地，就兼并了夏桀的天下，原因是什么呢？”管仲回答说：“夏桀不许百姓冬天在河上架桥，不许百姓夏天在河里用木筏过河，以便观赏人们挨冻和受淹的情形。他纵容雌虎在市街上乱走，以便观赏人们惊恐的表情。商汤却不是这样。他收取蔬菜和储存粮食，让饥饿的人有饭吃，挨冻的人有衣穿，救济贫困的人，天下百姓如流水一样归附商汤，这就是夏桀失去天下的原因。”桓公说：“夏桀如何导致商汤达到目的的呢？”管仲说：“女华，是夏桀最宠爱的妃子，汤用千金贿赂她；曲逆，是夏桀最宠信的大臣，汤也用千金去贿赂他。女华在内暗中相助，曲逆在外公开相助，暗地与公开相配合，所以汤最终成为天子。这是商汤暗中的策略。”

【原文】

桓公曰：“轻重之数，国准之分，吾已得而闻之矣。请问用兵奈何？”管子对曰：“五战而至于兵。”桓公曰：“此若言何谓也？”管子对曰：“请战衡，战准，战流，战权，战势。此所谓五战而至于兵者也。”桓公曰：“善。”

【译文】

桓公说：“轻重之术的方法，国家平准的区别，我都已经知道了。请问如何用兵呢？”管仲回答说：“经过五个方面的战斗就可以学会用兵了。”桓公说：“这话的意思是什么呢？”管仲回答说：“请在供求平衡上作战，在调节物价上作战，在流通物资上作战，在权术运用上作战，在形势利用上作战。这就是所谓的五个方面的战斗，经过它们就能学会用兵了。”桓公说：“好。”

【原文】

桓公欲赏死事之后，曰：“吾国者，衢处之国[①]，馈食之都，虎狼之所栖也。今每战舆死扶伤。如孤，荼首之孙，仰倳戟[②]之寡，吾无由与之，为之奈何？”管子对曰：“吾国之豪家，迁封、食邑而居[③]者，君章之以物则物重，不章以物则物轻；守之以物则物重，不守以物则物轻。故迁封、食邑、富商、蓄贾、积余、藏羡、跱[④]蓄之家，此吾国之豪也。故君请缟素而就士室，朝功臣、世家、迁封、食邑、积余、藏羡、跱蓄之家，曰：‘城脆致冲，无委致围。天下有虑，齐独不与其谋？子大夫有五谷菽粟者勿敢左右，请以平贾取之子。’与之定其券契之齿。釜鏂[⑤]之数，不得为侈弇[⑥]焉。困穷之民闻而籴之，釜鏂无止，远近不推。国粟之贾坐长而四十倍。君出四十倍之粟以振孤寡，牧贫病，视独老穷而无子者；靡得相鬻而养之，勿使赴于沟浍[⑦]之中。若此，则上争前战为颜行，不偷而为用，舆死扶伤，死者过半。此何故也？士非好战而轻死，轻重之分使然也。”

【注释】

①衢处之国：四面受敌的国家。

②傳戟：战争中死去的战士。

③居：囤积。

④跱（zhì）：储备。

⑤钷（ōu）：计量工具。

⑥侈弇：偏多或偏少。

⑦沟浍：荒野。

【译文】

桓公打算对阵亡将士的遗亲进行抚恤，他说：“我们国家，处于四通八达、四面受敌的地理位置，需要依靠别国输入粮食，还处在虎狼野兽栖息的山区。如今每次战争都有死伤。面对阵亡将士的孤儿，那些白发老人的孙子，靠丈夫当兵生活的寡妇，我却没有东西救济他们，该如何是好？”管仲回答说：“我们国家的豪门望族，那些升大官、有封地储存财物的人家，如果国君允许这些人囤积财物，市场物价就上涨，不允许他们囤积财物，物价就下降；如果允许这些人控制财物，物价就上涨，不允许他们控制物价就下降。因为这些当大官的、有封地的、富裕商人、蓄贾、积余财的、藏盈利的、积蓄财物的人家，全是我们国家的富豪。所以，国君要穿上白色的丧衣到官府去，招募那些功臣世家、当大官的、有封地的、积余财的、藏盈利的、积蓄财物的人家，对他们说：‘城防薄弱就容易被敌人攻破，没有粮食贮备就容易被敌人围困，天下各国都在为这个担心，齐国怎么能不担心呢？你们各位家中凡是有储备粮食的都不能自由买卖，国家要用平价向你们收购。’接着就和他们定好合同。各家的粮食数量，不许他们报的偏多或偏少。这样一来，贫穷无粮的百姓，听到消息就会纷纷来买粮，买多买少，络绎不绝；远道近道，不请自来。国内的粮价因此会涨达四十倍。国君就可以拿出这四十倍的粮食上涨收入来救济孤儿寡妇，收养贫困生病的人，照顾孤老，使他们不至于卖身为奴而得到供养，也使他们不会死于荒野。这样，将士们就会在战场上勇往直前，不会贪生怕死而为国家效力。就算为国牺牲的人达到半数以上，他们还是不惜牺牲。这是为什么呢？这并不是战士们好战而轻死，是轻重之术的作用产生的效果啊。”

【原文】

桓公曰：“皮、干①、筋、角之征甚重，重籍于民而贵市之皮、干、筋、角，非为国之数也。”管子对曰：“请以令高杠柴池，使东西不相睹，南北不相见。”桓公曰：“诺。”行事期年，而皮、干、筋、角之征去分，民之籍去分。桓公召管子而问曰：“此何故也？”管子对曰：“杠池平之时，夫妻服簟②，轻至百里。今高杠柴池，东西南北不相睹。天酸③然雨，十人之力不能上；广泽遇雨，十人之力不可得而恃。夫舍牛马之力所无因，牛马绝罢④，而相继死其所者相望。皮、干、筋、角徒予人而莫之取。牛马之贾必坐长而百倍。天下闻之，必离其牛马，而归齐若流。故高杠柴池，所以致天下之牛马而损民之籍也。《道若秘》云：‘物之所生，不若其所聚。’”

【注释】

①干：肋骨。

②服簟（diàn）：有竹帘的车。

③酸：小雨。

④罢：疲倦。

【译文】

桓公说："皮革、肋骨、蹄筋、牛角四种征收太重了，由于对百姓征收太重，导致市场上皮革、肋骨、蹄筋、牛角的价格上涨，这不是治国之法。"管仲回答说："请下令修筑高桥深池，让桥上的人站在桥东看不到桥西，站在桥南看不到桥北。"桓公说："好的。"过了一年，皮革、肋骨、牛筋、牛角的征收减少一半。百姓在这方面的赋税也减少了一半。桓公召见管仲问他说："这是什么原因呢？"管仲回答说："桥和池平整的时候，夫妻两个人拉着车子就可以轻松地走百里路。现在造起了高架桥，挖深了池沟，东西南北的行人都无法看见对方。要是天下小雨，十个人的力量也不能把车推上桥；大雨漫过深池，十个人的力量也靠不住。除了使用牛马再没有其他方法。牛马骡都被累坏了，还不断地累死在路上，牛马的皮革、肋骨、蹄筋、牛角白送人都没有人要。所以牛马的价格自然上涨百倍。天下各诸侯国听到这个消息，就会像流水一样赶着牛马到齐国来卖。所以，起了高架桥、挖深了池沟，招引来了天下的牛马从而减少了百姓的这项负担。正如《道若秘》所说：'注重财物的生产，不如注重财物的积聚。'"

【原文】

桓公曰："寡人欲藉于室屋。"管子对曰："不可，是毁成也。""欲藉于万民。"管子曰："不可，是隐情也。""欲藉于六畜。"管子对曰："不可，是杀生也。""欲藉于树木。"管子对曰："不可，是伐生也。""然则寡人安藉而可？"管子对曰："君请藉于鬼神。"桓公忽然作色曰："万民、室屋、六畜、树木且不可得藉，鬼神乃可得而藉夫？"管子对曰："厌宜乘势，事之利得也；计议因权，事之囿大也。王者乘势，圣人乘幼[①]，与物皆宜。"桓公曰："行事奈何？”管子对曰：“昔尧之五吏无所食，君请立五厉之祭，祭尧之五吏。春献兰，秋敛落；原鱼以为脯，鲵以为殽，若此，则泽鱼之正伯倍异日，则无屋粟邦布之藉。此之谓设之以祈祥，推之以礼义也。然则自足，何求于民也？”

【注释】

①纷：鬼神。

【译文】

桓公说：“寡人想要收缴房屋税。”管仲回答说：“不行，这相当于毁坏房屋。”又说：“寡人想收缴人口税。”管仲回答说：“不行，这相当于让百姓抑制情欲。”又说：“寡人想要收缴牲畜税。”管仲回答说：“不行，这相当于叫百姓宰杀幼畜。”又说：“寡人想收缴树木税。”管仲回答说：“不行，这相当于叫百姓砍伐幼树。”“那么，那寡人可以征收什么税呢？”管仲回答说：“请您向鬼神征税。”桓公脸色变了，说：“人口、房屋、牲畜、树木都不能收税，还能向鬼神收税吗？”管仲回答说：“行事符合时宜并因势利导，就可以得到好处；谋事善于远虑并使用权术，就可以得到帮助。王者善于应用时势，圣人善于应用神秘，让万事各得所宜。”桓公说：“如何做呢？”管仲回答说：“从前尧有五个功臣，现在没有人祭祀，您需要建立这五个功臣的祭祀制度，让百姓都来祭祀他们。春天给他们敬献兰花，秋天收新谷为祭给他们；用生鱼做成鱼干当祭品，用小鱼做成菜肴当祭品。这样，国家的鱼税收入就能比从前增加百倍，就不需要敛取不耕地的罚款和收缴人口税了。这就叫作既设立了鬼神祭祀，又推行了礼义教化，还满足了国家的财政需要，又何必向百姓征收呢？”

【原文】

桓公曰：“天下之国，莫强于越。今寡人欲北举事孤竹、离枝，恐越人之至，为此有道乎？”管子对曰：“君请遏原流，大夫立沼池，令以矩游为乐。则越人安敢至？”桓公曰：“行事奈何？”管子对曰：“请以令隐①三川，立员都，立大舟之都②。大舟之都，有深渊，垒十仞。令曰：‘能游者赐千金。’未能用金千，齐民之游水，不避吴越。”桓公终北举事于孤竹、离枝。越人果至，隐曲菑③以水④齐。管子有扶身之士五万人以待，战于曲菑，大败越人。此之谓水豫。

【注释】

①隐：堵塞。

②大舟之都：能过大船的湖。

③菑（zī）：淄水。

④水：淹。

【译文】

桓公说：“天下各国，没有哪个国家能比越国更强大。现在我想讨伐孤竹、离枝，但是担心越国乘虚而至，有什么办法应对这个问题吗？”管仲回答说：“请君上堵塞原山的流水，让大夫建筑大水池，让民众在里面跳水游水嬉戏。这样，越国为何还敢来呢？”桓公说：“具体怎么做呢？”管仲回答说：“请您下令堵塞三条河流，建立起圆形大水池，还要修建能过大船的湖，而且这个湖下要有深渊，深要超过七十尺。再下令说：‘能游去的人赏赐十金。’还没有用去千金，齐国人的游泳技术就不比吴越的人差了。”桓公最终讨伐孤竹和离枝。果然越国派兵到，筑起堤坝堵住了淄水的曲处，用水淹灌齐国。但管仲安排善于游泳的五万战士，在淄水的曲处埋伏，大败越军。这叫作水战要有准备。

【原文】

齐之北泽烧，火光照堂下。管子入贺桓公曰：“吾田野辟，农夫必有百倍之利矣。”是岁租税九月而具，粟又美。桓公召管子而问曰：“此何故也？”管子对曰：“万乘之国，千乘之国，不能无薪而炊。今北泽烧，莫之续，则是农夫得居装而卖其薪荛[①]，一束十倍。则春有以傳耜[②]，夏有以决芸[③]。此租税所以九月而具也。”

【注释】

①薪荛（ráo）：薪柴。

②傳耜：翻土。

③决芸：除草。

【译文】

齐国北部的草泽地发生了大火，火光都照射到了齐国的朝堂之下。管仲祝贺桓公说：“我国的土地将会得到开垦，农民也一定会获得百倍的财利了。”果然当年的租税在九月就交纳完毕了，粮食还获得了丰收。桓公召见管仲问他说：“这是为什么呢？”管仲回答说：“所有的万乘之国或千乘之国，做饭都不能不烧柴草。现在北部的草泽地起火，做饭的柴草连续不上，这样农夫就能从容收集薪柴装车售卖，一捆柴草的价格可以上涨十倍。所以农民春天有钱财耕种土地，夏天有钱财除草耘苗。这就是为什么租税能在九月交纳完。”

【原文】

桓公忧北郭民之贫，召管子而问曰：“北郭者，尽屦缕[①]之甿[②]也，以唐园[③]为本利，为此有道乎？”管子对曰：

“请以令：禁百钟之家[4]不得事鞒[5]，千钟之家不得为唐园，去市三百步者不得树葵菜。若此，则空闲有以相给资，则北郭之甿有所雠[6]。其手搔[7]之功，唐园之利，故有十倍之利。”

【注释】

①屦（jù）缕：编织草鞋。

②甿（méng）：平民。

③唐园：种植蔬菜的菜园。

④百钟之家：有百钟存粮的人家。

⑤鞒（qiáo）：草鞋。

⑥雠（chóu）：出卖。

⑦手搔：手工生产。

【译文】

桓公担心北郭生活贫困的百姓，召见管仲问道：“住在北郭的都是编织草鞋售卖的贫民，以种菜为主要收入，有什么办法帮助他们吗？”管仲回答说：“请下令：有百钟存粮的人家不许做鞋售卖，有千钟存粮的人家不许经营菜园，住在城郊三百步以内的人家不许在自家种植蔬菜。这样失业的百姓就能得到帮助，北郭的贫民就能销售蔬菜。他们做手工的劳动成果和菜园收入，都将由此增加十倍之多。”

【原文】

管子曰：“阴王之国[1]有三，而齐与在焉。”桓公曰：“此若言可得闻乎？”管子对曰：“楚有汝、汉之黄金，而齐有渠展之盐，燕有辽东之煮[2]，此阴王之国也。且楚之有黄金，中齐有菑石也。苟有操之不工，用之不善，天下倪[3]而是耳。使夷吾得居楚之黄金，吾能令农毋耕而食，女毋织而衣。今齐有渠展之盐，请君伐菹薪，煮沸水为盐，正[4]而积之。”桓公曰：“诺。”十月始正，至于正月，成盐三万六千钟。召管子而问曰：“安用此盐而可？”管子对曰：“孟春既至，农事且起，大夫无得缮冢墓，理宫室，立台榭，筑墙垣，北海之众无得聚庸而煮盐。若此，则盐必坐长而十倍。”桓公曰：“善。行事奈何？”管子对曰：“请以令粜[5]之梁、赵、宋、卫、濮阳。彼尽馈食之也，国无盐则肿。守圉之国，用盐独甚。”桓公曰：“诺。”乃以令使粜之，得成金万一千余斤。桓公召管子而问曰：“安用金而可？”管子对曰：“请以令使贺献、出正籍者必以金，金坐长而百倍。运金之重以衡万物，尽归于君。故此所谓用若挹[6]于河海，若输之给马。此阴王之业。”

【注释】

①阴王之国：土地资源丰富的国家。

②煮：煮的盐。

③倪：看不起。

④正：征收。

⑤粜（tiào）：卖。

⑥挹（yì）：把液体盛出来。

【译文】

管仲说：“土地资源最丰富的国家有三个，齐国也是其中一个。”桓公说：“这话的意思能给我解释吗？”管仲回答说：“楚国拥有汝河、汉水的黄金，齐国拥有渠展产出的盐，燕国也有辽东产出的盐。这当然就属于土地资源丰富的国家。但是楚国拥有的黄金，就像齐国拥有的菑石，如果加工不精，利用不当，天下人也不会认为它们贵重。如果是我管夷拥有楚国的黄金，就能做到让农民不用耕田就能有饭吃，妇女不用编织就有衣穿。如今齐国拥有渠展的盐产，希望君上您能下令砍柴煮盐，然后由国家征收积累起来。”桓公说：“好。”从十月开始征集，到了次年正月，共积累了三万六千钟盐。于是，桓公召见管仲询问道：“要怎样经营运用这些盐？”管仲回答说：“初春一到，农事就要开始，规定各个大夫家里都不得修缮坟屋、建立楼榭和筑砌墙垣。同时命令北海沿岸的人们不准雇人聚众煮盐。这样，盐价一定会上涨十倍。”桓公说：“好。下一步又该怎么做呢？”管仲回答说：“请下令把盐卖到梁、赵、宋、卫和濮阳等地。它们都是靠输入食盐为生的，国内没有盐吃就会导致百姓身体浮肿。对于守卫自己国家，盐特别重要。”桓公说：“好。”于是下令卖盐，共获得黄金一万一千多斤。桓公又召见管仲问道：“这些黄金该怎么用呢？”管仲回答说：“请下令，无论是朝贺献礼还是交纳捐税，民众都必须使用黄金，这样金价必然上涨百倍。运用黄金的这些高价收入，收购各种物资，那一切财富都全归于君上了。所以，这就是所谓的积累财富就像从河海中盛水一样丰富，又像连续送来计算钱数的筹码一般。这就是土地资源丰富国家的事业。”

【原文】

管子曰：“万乘之国必有万金之贾，千乘之国必有千金之贾，百乘之国必有百金之贾，非君之所赖也，君之所与。故为人君而不审其号令，则中一国而二君二王也。”桓公曰：“何谓一国而二君二王？”管子对曰：“今君之籍取以正，万物之贾轻去其分，皆入于商贾，此中一国而二君二王也。故贾人乘其弊以守民之时，贫者失其财，是重贫也；农夫失其五谷，是重竭也。故为人君而不能谨守其山林、菹泽[1]、草莱，不可以立为天下王。”桓公曰：“此若言何谓也？”管子对曰：“山林、菹泽、草莱者，薪蒸之所出，牺牲之所起也。故使民求之，使民藉②之，因此给之。私爱之于民，若弟之与兄，子之与父也，然后可以通财交殷③也。故请取君之游财，而邑里布积之。阳春，蚕桑且至，请以给其口食筐曲④之强。若此，则绖丝之籍去分而敛矣。且四方之不至，六时制之：春日傳耜，次日获麦，次日薄芋，次日树麻，次日绝菹⑤，次日大雨且至，趣芸壅培。六时制之，以给至于国都。善者乡因其轻重，守其委庐⑥，故事至而不妄。然后可以立为天下王。”

【注释】

①菹（zū）泽：草泽。

②藉：捕获祭品。

③交殷：相互支持。

④筐曲：养蚕的用具。

⑤绝菹：除草。

⑥委庐：储备。

【译文】

管仲说：“万乘之国一定存在拥有万金的大商人，千乘之国一定存在拥有千金的大商人，百乘之国一定存在拥有百金的大商人，君主都不能依靠他们，而是应该剥夺他们。所以，如果君主不严格审查他的号令，那就相当于一个国家有两个君主或两个国王了。”桓公说：“什么是一个国有两个君主或两个国王呢？”管仲回答说：“现在国君征收赋税采用直接征收的方式，老百姓为了交税急于抛售产品，往往会降价一半，商人趁机低价收购。这就等于一个国家有二君二王了。所以，商人乘民之危来掌控百姓卖出产品的时机，让贫穷的人丧失财物，更加贫困；让农夫失掉粮食，更加枯竭。所以君主如果不能严格控制其山林、沼泽和草地，自然不能成就天下王业。”桓公问道：“这是什么意思呢？”管仲回答说：“山林、沼泽和草地，是柴薪生长的地方，也是牛羊等祭祀品出产的地方。所以，应当鼓励百姓到那里去开发，捕猎，由此谋生达到自给。君主对百姓的爱护，要像兄长爱护弟弟，父亲爱护儿子一样，然后就达到沟通财利，相互扶持了。然后，再请君上拿出一部分余钱，分别存放在各个邑里。阳春时节养蚕季节一到，就把这笔钱借给百姓，让他们有本钱买口粮、买养蚕工具。这样在产丝之后，百姓用蚕丝抵挡借款，国家也就获得了廉价的蚕丝。如果这样做四方百姓还不来投靠我国，那就还要把握六个时机：春天耕地的时机，下一步收麦的时机，种芋的时机，种麻的时机，除草的时机，大雨季节将临、农田的锄草培土的时机。抓好这六个借贷的时机，就能把老百姓吸引到我们国都来了。善于治理国家的人，一向是利用轻重之术来掌握充足的钱物储备。因此，事件不会发生混乱。这样，才能成就天下的王业。”

【原文】

管子曰：“一农不耕，民或为之饥；一女不织，民或为之寒。故事再其本，则无卖其子者；事三其本，则衣食足；事四其本，则正籍给；事五其本，则远近通，死得藏。今事不能再其本，而上之求焉无止，是使奸涂不可独行，遗财不可包止。随之以法，则是下艾民。食三升，则乡有匮[①]食而盗；食二升，则里有匮食而盗；食一升，则家有匮食而盗。今操不反之事，而食四十倍之粟，而求民之毋失，不可得矣。且君朝令而求夕具，有者出其财，无有者卖其衣屦，农夫粜其五谷，三分贾而去。是君朝令一怒[②]，布帛流越而之天下。君求焉而无止，民无以待[③]之，走亡而栖山阜。持戈之士顾不见亲，家族失而不分，民走于中而士遁于外，此不待战而内败。”

【注释】

①匮：匮乏。

②怒：出。

③待：储备。

【译文】

管仲说：“一个农民不耕种，也许百姓就会挨饿；一个妇女不织布，也许百姓就会受冻。农事收入达到投入本钱的两倍，农民就不会有卖儿卖女的；达到三倍，就会衣食充足；达到四倍，赋税就会有保证；达到五倍，余粮就能远近流通，也能妥善地安葬死人。农事收入如果达不到投入本钱的两倍，君主还不停地收缴苛捐杂税，那就会路有盗贼，一个人都不敢单独走路，钱财也害怕放在手里了。如果国家再用法律镇压，就相当于暗中残害自给的百姓。五谷中只能收获三谷，每个乡都会有因为饥饿而偷盗的；五谷中只能收获二谷，每个里都会有因为饥饿而偷盗的；五谷中只能收获一谷，每个家庭都会有因为饥饿而偷盗的了。如果百姓总是干那些不够本钱的职业，吃的粮食涨价四十倍，还希望他们不流离失所，是不可能的。再加上君主早上才下令征税，晚上就要求交齐，有钱人家还能拿出来，穷苦人家就只好变卖衣物，农民卖粮出售的价格才到十分之三的价钱。这就相当于国君的命令一出，财物就散到商人的手里而流失于天下了。国君对百姓的征敛没有停止，百姓没有能力应付，就只能逃入山林了。战士无法与自己的亲人相见，家庭破灭而不能团圆。平民流亡于国内，而士人逃奔到国外，这样，不用战争就会从内部倒台的。”

【原文】

管子曰："今为国有地牧民者，务在四时，守在仓廪。国多财则远者来，地辟举则民留处；仓廪实则知礼节，衣食足则知荣辱。今君躬犁垦田，耕发草土，得其谷矣。民人之食，有人若干步亩之数，然而有饿馁于衢闾者何也？谷有所藏也。今君铸钱立币，民通移，人有百十之数，然而民有卖子者何也？财有所并也。故为人君不能散积聚，调高下，分并财，君虽强本趣耕，发草[1]立币而无止，民犹若不足也。"桓公问于管子曰："今欲调高下，分并财，散积聚。不然，则世且并兼而无止，蓄余藏羡而不息，贫贱鳏寡独老不与得焉。散之有道，分之有数乎？"管子对曰："唯轻重之家为能散之耳，请以令轻重之家。"桓公曰："诺。"东车五乘，迎癸乙于周下原。桓公因与癸乙、管子、宁戚相与四坐。桓公曰："请问轻重之数。"癸乙曰："重籍其民者失其下，数欺诸侯者无权与。"管子差肩[2]而问曰："吾不籍吾民，何以奉车革[3]？不籍吾民，何以待邻国？"癸乙曰："唯好心为可耳！夫好心则万物通，万物通则万物运，万物运则万物贱，万物贱则万物可因。知万物之可因而不因者，夺[4]于天下。夺于天下者，国之大贼也。"桓公曰，"请问好心万物之可因？"癸乙曰："有余富无余乘者，责之卿诸侯。足其所，不赂其游者[5]，责之令大夫。若此则万物通，万物通则万物运，万物运则万物贱，万物贱则万物可因矣。故知三准同策者能为天下，不知三准之同策者不能为天下。故申之以号令，抗[6]之以徐疾也，民乎其归我若流水。此轻重之数也。"

【注释】

①发草：垦田。

②差肩：在身后。

③革：甲胄。

④夺：流失。

⑤不赂其游者：不为外事活动提供资金。

⑥抗：举措。

【译文】

管仲说："如今治理国家、拥有土地、管理百姓的君主，要重视四时农事，保证粮食储备。国家拥有充足的财力，远方的人们才能主动前来；荒地开垦得好，本国的百姓才能安心留下居住。粮食充足，百姓就知道礼节；丰足衣食，百姓就懂得知荣辱。现在君上亲自参加犁田垦地，开发草土，收获粮食。百姓的口粮，由一定数量的土地保证给每一个人。然而为什么大街小巷还有挨饿受冻的人呢？这是因为有人在囤积粮食。现在君上铸造钱币，百姓用来交易，平均下来每人也有几百几十的数目。然而为什么还有百姓卖儿卖女呢？这是因为有人在积聚钱财。所以，作为君主，不能把囤积的粮食分散，调节物价的高低，把兼并的财利分散，就算他加强农业，督促农业生产，不停地开垦荒地和铸造钱币，百姓还是会贫穷的。"桓公问管仲说："现在我想调节物价高低，把兼并的财利分散，把囤积的粮食散开，不然的话社会上将会不停地兼并，不停地积累，贫贱、鳏寡以及老而无子的百姓就无法生活了。那么，这种分法有什么办法呢？"管仲回答说："只有通晓轻重之术的行家才能解决这个分散的问题，请下令召见通晓轻重之术的行家。"桓公说："好。"于是准备五辆车马，从周的下原接来癸乙。桓公与癸乙、管仲、宁戚四人坐定。桓公说："向您请教轻重之术。"癸乙说："向百姓征税过重，就会失掉百姓的支持；多次失信于各国诸侯，就不会再有盟国追随。”管仲在他身后问他说：“我不向百姓征税，用什么来供养军队？不向百姓征税，拿什么来抵御邻国入侵？”癸乙说：“只要分散豪门贵族的积累的财富就可以了。分散他们的积财，货物能做到有无相通；货物有无相通，就能流入市场；货物流入市场，物价就能下跌；物价下跌，万物就都能利用了。知道可以利用万物却不用，财货就会流失到其他国家。财货流失到其他国家，是本国最大的祸害。”桓公说：“请问如何分散豪门贵族积累的财富并利用财货呢？”癸乙回答说：“国内虽然有充足的财货，但战车不足，就让卿和附庸诸侯提供。大夫家资富足但不提供外事费用，就责成令大夫拿出来。这样财货就可以做到有无相通，财货有无相通，就可以流入市场；流入市场，物价就会下降；物价下降，就可以利用财货。因此，清楚三种调节措施是同一个政策的人，才能够统治天下，不清楚就无法统治天下。所以要用号令明确这种措施，配合缓急合宜的步骤，天下百姓自然会像流水一样来归附我们。这就是轻重之术。”

【原文】

桓公问于管子曰：“今傳戟[①]十万，薪菜之靡[②]，日虚十里之衍[③]；顿戟一噪[④]，而靡币之用日去千金之积。久之，且何以待之？”管子对曰：“粟贾平四十，则金贾四千。粟贾釜四十则钟四百也，十钟四千也，二十钟者为八千也。金贾四千，则二金中八千也。然则一农之事终岁耕百亩，百亩之收不过二十钟，一农之事乃中[⑤]二金之财耳。故粟重黄金轻，黄金重而粟轻，两者不衡立。故善者重粟之贾，釜四百，则是钟四千也，十钟四万，二十钟者八万。金贾四千，则是十金四万也，二十金者为八万。故发号出令，曰一农之事有二十金之策。然则地非有广狭，国非有贫富也，通于发号出令，审于轻重之数然。”

【注释】

①傳戟：供养战士。

②薪菜之靡：伙食所需要的费用。

③衍：平原。

④顿戟一噪：进行一场战争。

⑤中：合，达到。

【译文】

桓公问管仲说：“现在供养十万战士，每天烧伙食所需要的费用，可以消耗掉十里平原的收入；进行一次战争，每天的耗费就能用掉千金的积蓄。久而久之，将如何负担呢？”管仲回答说：“粮食的中等价格是每釜四十钱，而金价为每斤四千钱。粮食按每釜四十钱计算，每钟才四百钱，十钟是四千钱，二十钟是八千钱。金价按每斤四千钱计算，两斤就达八千钱。一个农民每年能种一百亩地，百亩地的收入也就二十钟，一个农民耕作一年的收入仅仅是两斤黄金的价值。粮食价高黄金价就低，黄金价高粮食价格就低，两者涨落的趋势正好相反。所以，善于治理国家的人就要提高粮食价格。如每釜提高为四百，每钟就是四千钱，十钟就是四万钱，二十钟就是八万钱。金价每斤仍然是四千钱，十斤才是四万钱，二十斤是八万钱。这样一来，君主只要颁布提高粮食价格的命令，就能让一个农民一年的收入达到二十斤黄金的收入。由此可见，国土不在于宽广还是狭长，国家不在于贫穷还是富裕，治国的关键在于善于发号施令和知晓轻重之术。”

【原文】

管子曰："湩然①击鼓，士愤怒；铊②然击金，士帅然。策枹鼓从之，舆死扶伤，争进而无止。口满用，手满钱，非大父母之仇也，重禄重赏之所使也。故轩冕③立于朝，爵禄不随，臣不为忠；中军行战，委予之赏不随，士不死其列陈。然则是大臣执于朝，而列陈之士执于赏也。故使父不得子其子，兄不得弟其弟，妻不得有其夫，唯重禄重赏为然耳。故不远道里而能威绝域之民，不险山川而能服有恃之国，发若雷霆，动若风雨，独出独入，莫之能圉④。"

【注释】

①湩（dòng）然：鼓声。

②铊（qiāng）：钟声。

③轩冕：指君王。

④圉（yǔ）：阻挡。

【译文】

管仲说："击鼓咚咚响，战士们就能奋勇前进；锵锵鸣金声，战士们就能肃然停止。随着进攻的战鼓继续驱动他们，就算有的战死，有的受伤，战士们仍然能不停争相前进。他们战斗得嘴角流血，满手是伤，并不是为了报父母之仇，而是厚赏重禄驱使他们这样做的。所以君上主持朝政，如果没有高官爵禄，臣下就不肯尽忠；统帅带领行军，如果没有优厚的奖赏，战士就不肯死战。由此看来，大臣是被朝廷的爵禄束缚着的，而打仗的战士是被奖赏束缚着的。所以，要想让父亲舍得自己的儿子牺牲，哥哥舍得自己的弟弟牺牲，妻子舍得让丈夫牺牲，只有重禄重赏才能做到。做到了这点，将士们就能不怕远征，而震慑边地的臣民；不怕险阻，去征服有险可守的国家；发兵猛烈如同雷霆，动兵迅速如同风雨，独出独入，任何力量都抵挡不了。”